첫 목공 일기

첫 목공 일기

■ 글, 그림 — 해작

■ 사진 : 오케이, 해작

첫 목공 일기

글, 그림 - 해작 / 사진 - 오케이, 해작
초판 1쇄 발행일 2022년 6월 30일
펴낸이 - 해작
펴낸곳 - 해작
등록번호 제 2022-000044 호
등록일 2022년 06월 08일
이메일 haejakkim@gmail.com
인스타그램 haejak_publ

ISBN 979-11-979219-0-2(03810)

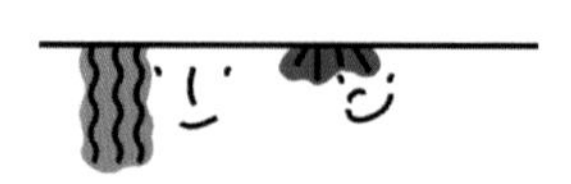

이 책은 검증된 "교재"나 "입문서"가 아니다. 나는 이 책에서 어떤 용어의 뜻이나 어떤 공구의 사용 방법론 같은 것을 길게 기술하지는 않았다. 이미 시중에 목공 교재나 입문서들이 꽤 나와 있기도 하고, 사실 그보다 더 중요한 건 내가 자전거 타는 법을 글로 배우지 않고 몸으로 배웠듯, 목공 또한 글이 아니라 몸으로 배우는 분야라고 느꼈기 때문이다. 이 책은 나의 부정확하고 망각되고 왜곡된 기억을 복기해 붙잡아 두려는 시도, 스스로 복습하기 위한 필기장 또는, 차라리 받아쓰기 공책에 가깝다.

2022년 5월

시작

KIKORI
切木里
化粧合板・一般木材用
240mm
0.3mm
プロトラクター
品番 62499

수업 첫 날, 수공구를 잔뜩 받았다. 초보는 무조건 망가뜨린다는 이유에서다.

선생님이 공방을 돌아다니며 어디에 뭐가 있는지 설명 해 줬다. 분명 까먹고 몇 번은 다시 물어볼 것 같아서 급하게 공책을 꺼내 휘갈겨 나만 알아볼 수 있는 나름대로의 지도(?)를 받아적었다. 초반에 유용하게 쓰였다. 지금은 공방 구조가 많이 바뀌어서 이 지도가 더 이상 유효하지 않지만, 언젠가부터는 지도 없이도 자주 쓰는 것들은 감각으로 찾을 수 있게 되었다.

Map

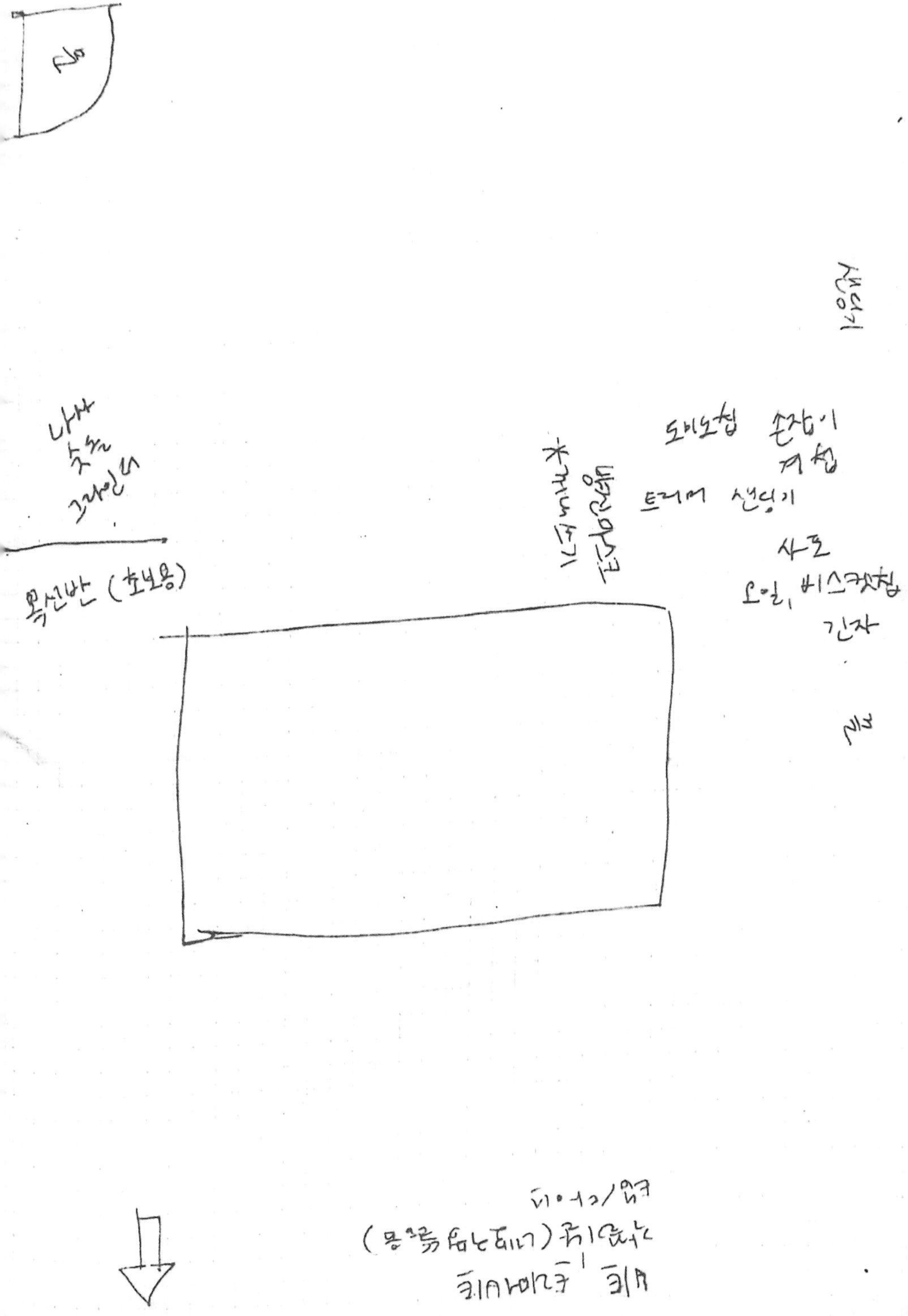

나사
숫돌
그라인더

목선반

샌딩기

도미노칩 손잡이
계칩
트리머 샌딩기
사포
오일, 비스킷칩
긴자

비트, 트리머비트
각끌기날 (네모구멍 뚫음)
탭/다이스

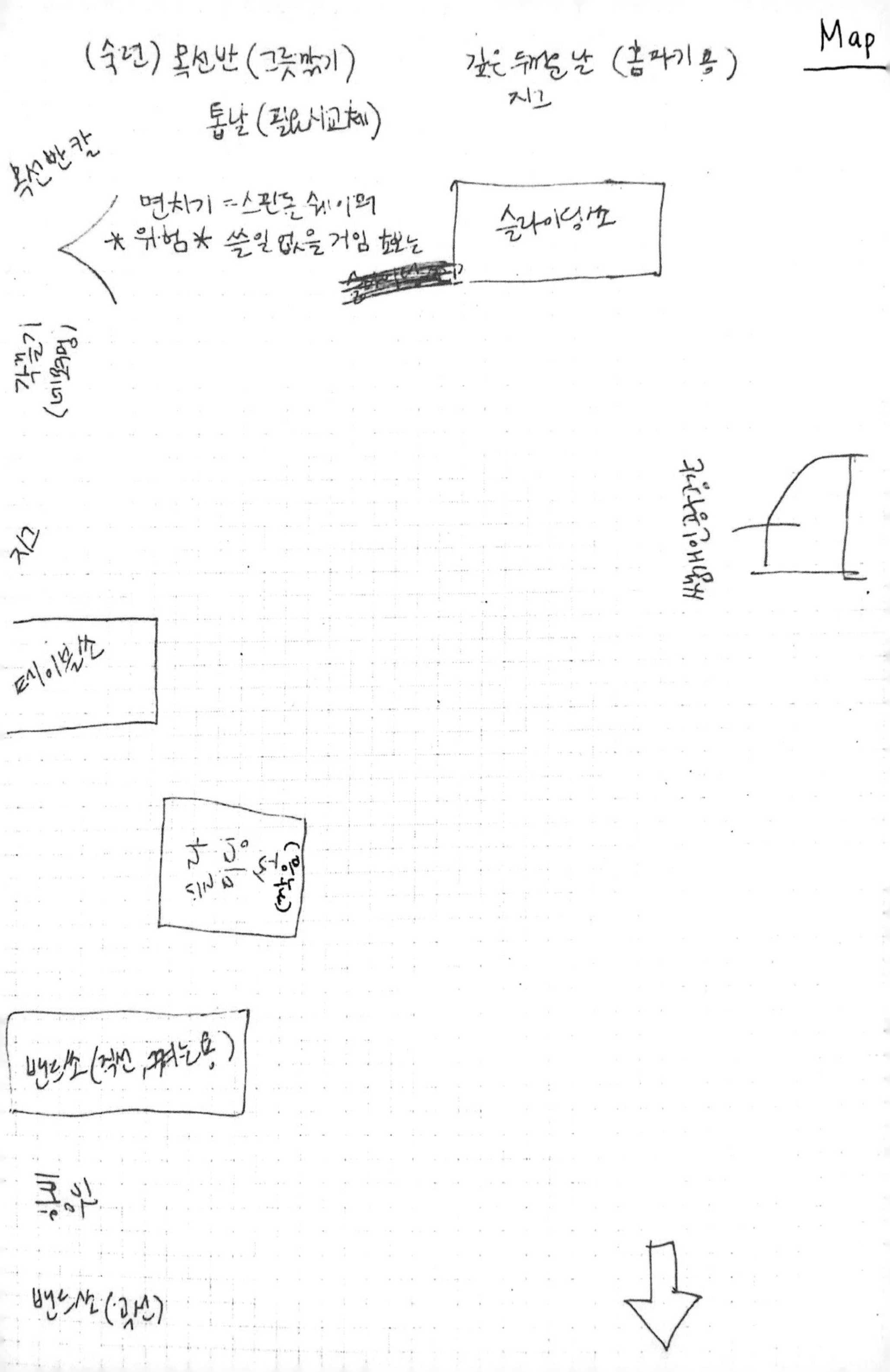
Map
(숙련) 목선반 (그릇깎기)
톱날 (필요시교체)
깊은 두께용 날 (홈파기용)
지그
목선반 칼
면치기 = 스핀들 쉐이퍼
* 위험 * 쓸일 없을 거임 아마도
슬라이딩쏘
각끌기 (도미노용)
지그
테이블쏘
밴드쏘 (직선, 켜는용)
공기압
밴드쏘 (곡선)

직선자는 길이에 따라 폭이 일정하게 다르다. 15cm 자는 15mm, 30cm 자는 25mm, 60cm 자는 30mm의 폭을 가지고 있다. 목재에 나사를 박을 때는 가장자리에서 최소 25mm의 마진을 두고 박아야 하는데, 이 때 30cm 또는 60cm 자를 활용해서 나사 자리를 쉽고 빠르게 표시할 수 있다. 나사와 나사 간의 거리는 약 한 뼘을 초과하지 않도록 등분한다.

나무를 자르면 통나무가 된다. 통나무를 자르면 제재목이 되고, 얇게 펴서 겹겹이 쌓으면 합판이 된다. 제제목과 제제목을 붙이면 집성목이 되는데, 집성목끼리 또 스스로 집성 할 수도 있다. 나무 부스러기 칩을 뭉친 걸 OSB 합판이라고 부르고, 나무 먼지를 뭉친 건 MDF 합판이라고 부른다.

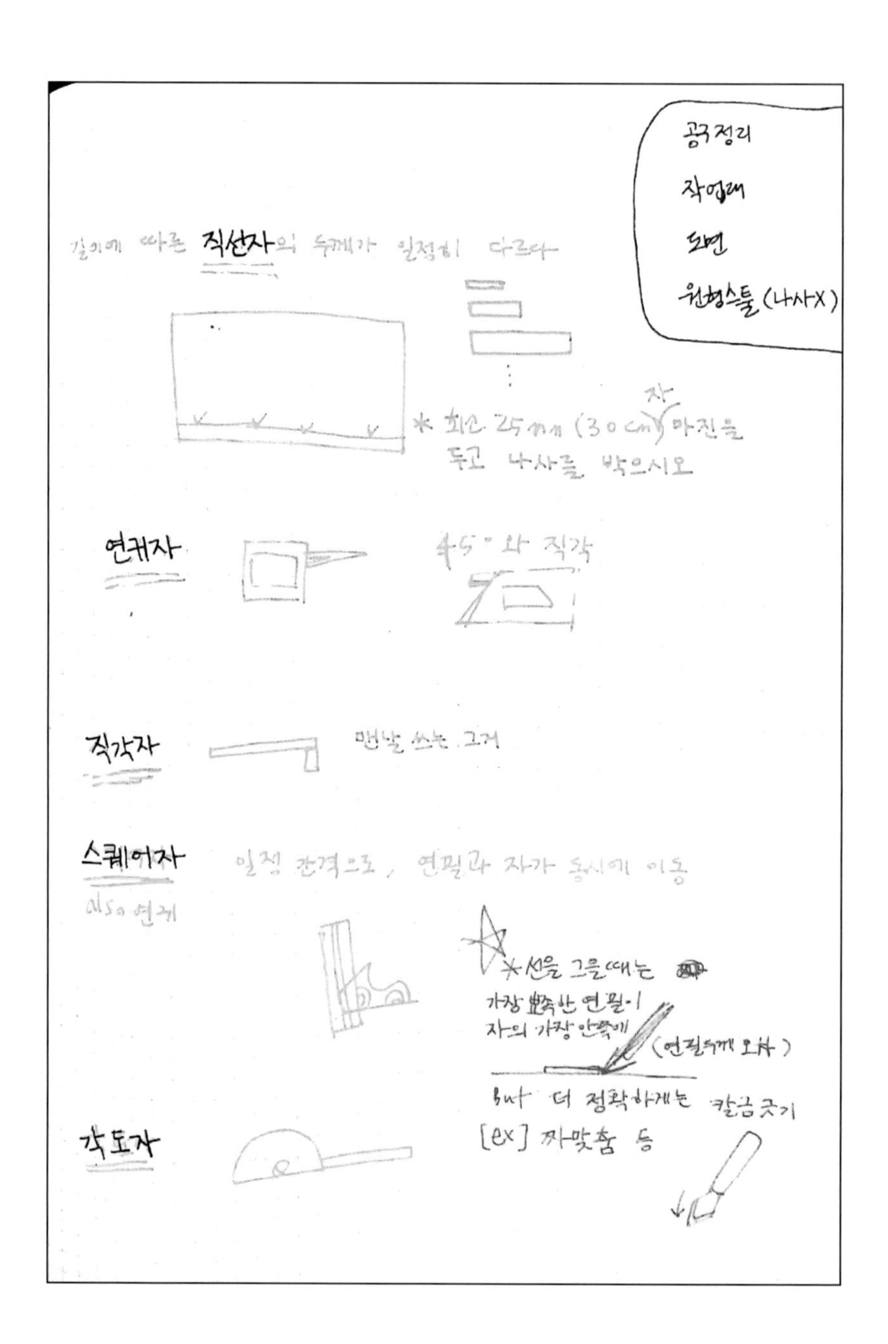

공구정리
작업대
도면
원형스툴 (나사X)
길이에 따른 직선자의 두께가 일정히 다르다
* 최소 25mm (30cm 자) 마진을 두고 나사를 박으시오
연귀자
45° 와 직각
직각자
맨날 쓰는 그거
스퀘어자
일정 간격으로, 연필과 자가 동시에 이동
also 연귀
* 선을 그을 때는
가장 뾰족한 연필이
자의 가장 안쪽에
(연필두께 오차)
But 더 정확하게는 칼금긋기
[ex] 짜맞춤 등
각도자

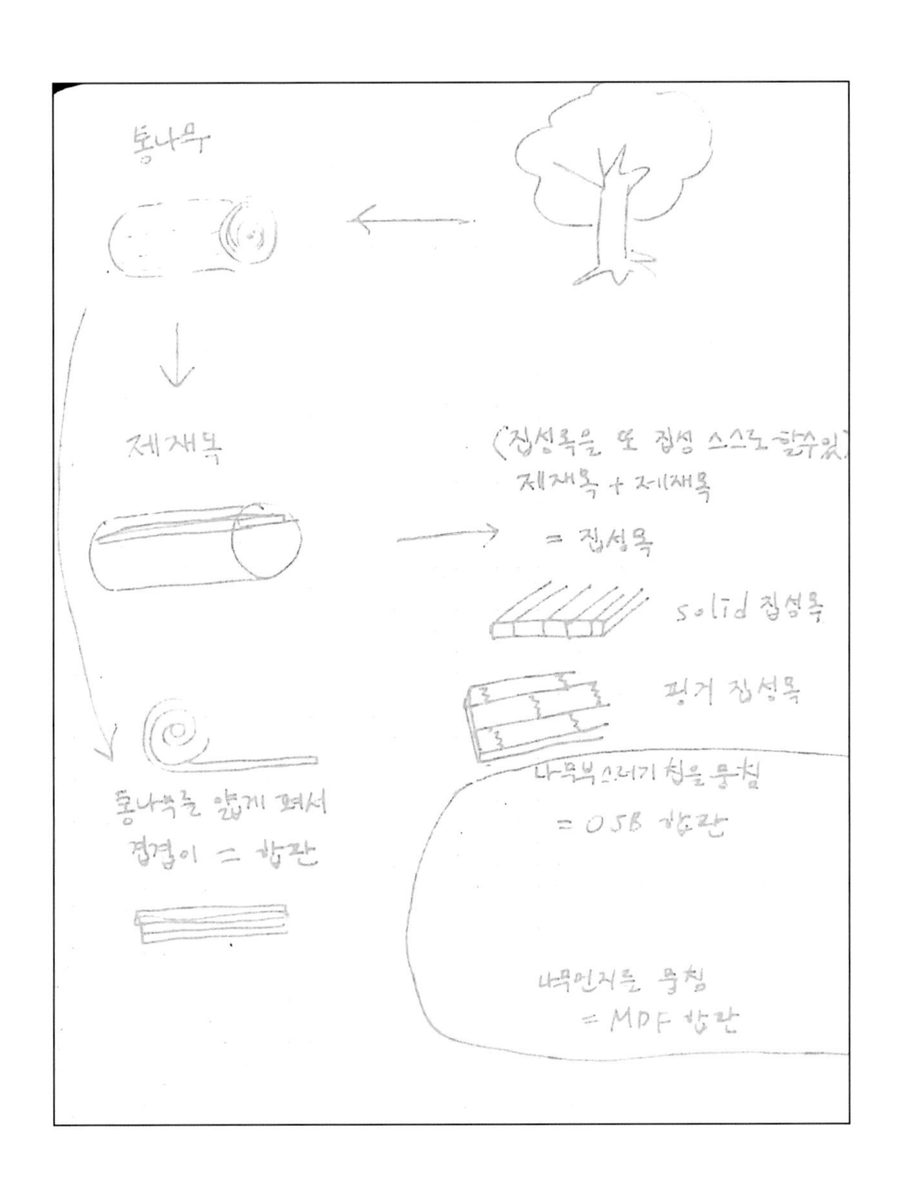
통나무
제재목
(집성목을 또 집성 스스로 할수있)
제재목 + 제재목
= 집성목
solid 집성목
핑거 집성목
나무부스러기 칩을 뭉침
= OSB 합판
통나무를 얇게 펴서
겹겹이 = 합판
나무먼지를 뭉침
= MDF 합판

엉디빵디

수업 첫 날인데 아침에 공방 가는 길에 생리가 터져서 인성이 개파탄이었다. 눈에 보이는 모든 유리를 부시고싶었다. 월경대랑 진통제를 샀다. 약을 아침에 두 알, 중간중간에 한알씩 더 먹어서 총 네 알을 먹었다. 허리도 아프고 저녁이 되니까 잠도 왔다. 낮에는 직선 밴드쏘 날을 하나 뿌사먹었다. 그래서 쌤이 날 가는 걸 봤다. 신기했다. 공방의 다른 사람들도 신기했는지 모두 모여서 그것을 구경했다. 쌤이 목선반 쓰는 것도 봤다. 직육면체 목재가 마른 옥수수 심지처럼 됐다.

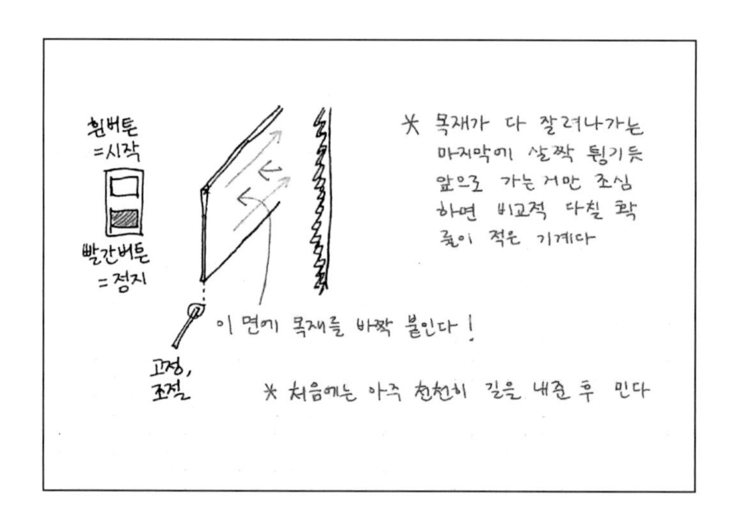

*밴드쏘 쓸 때는, 목재가 좌우로 흔들리면 안 된다!

둥근 스툴을 만들면서 도면 그리는 방법, 밴드쏘, 도미노, 집성 하는 방법에 대해 배웠다. 쌤이 큰 종이를 꺼내 주면서 일단 만들고 싶은 형태의 스툴을 실제 사이즈로 정확하게 그려 보라고 했다.

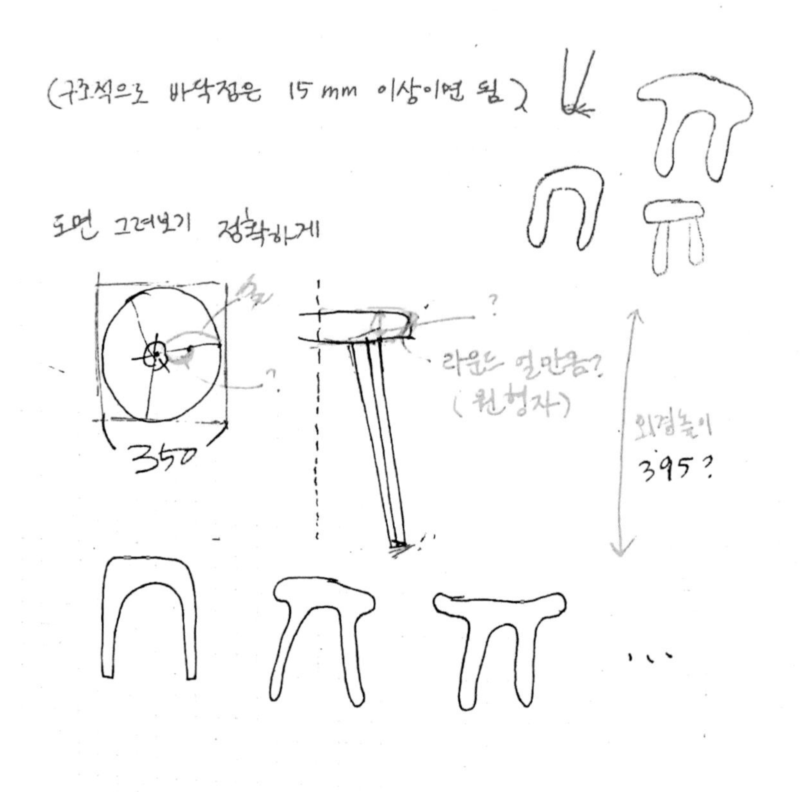

아까 이론 설명을 들으면서 별 생각 없이 공책 구석에 끄적인 낙서 중 하나가 마음에 꽂혔다. 자와 컴퍼스, 뾰족하게 깎은 연필, 지우개 등으로 어찌저찌 종이에 도면을 그렸다. 다 그리고 나니까 기대감이 더 부풀었다. 쌤이 도와줘서 도면을 목재로도 옮겨 그렸다. 이것으로 나는 몇 달 동안이나 애를 미워하고 사랑하고 방치하고 지지고 볶는 애증을 시작하게 된다.

스툴은 어려웠다. 처음이니까 당연하다고? 정확히 말하자면, 쉬운 길을 선택할 수도 있었는데 내가 어려운 길을 택했다. 이렇게까지일 줄은 몰랐다. 미술학원 처음 갔을 때처럼 쌤이 내가 하겠다고 한 것의 8할을 해줬다. 주문제작을 맡기고 만드는 거 구경하러 와서 죽치고 지켜보는 진상 손님이 된 것 같다는 생각을 잠깐 했다. 내가 2할밖에 안 했지만 그것도 힘들었다. 이런 걸 만드는 짓은 비기너 아니면 마스터밖에 안 하지 않을까, 좀 알만큼 알게 되면 이런 건 만들 생각도 안 할 것 같다. 다시는 오지 않을 멋모르는 처음.

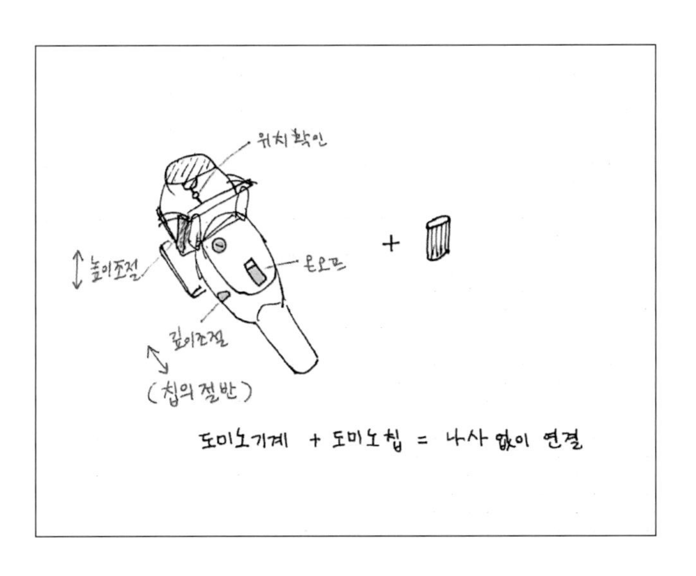

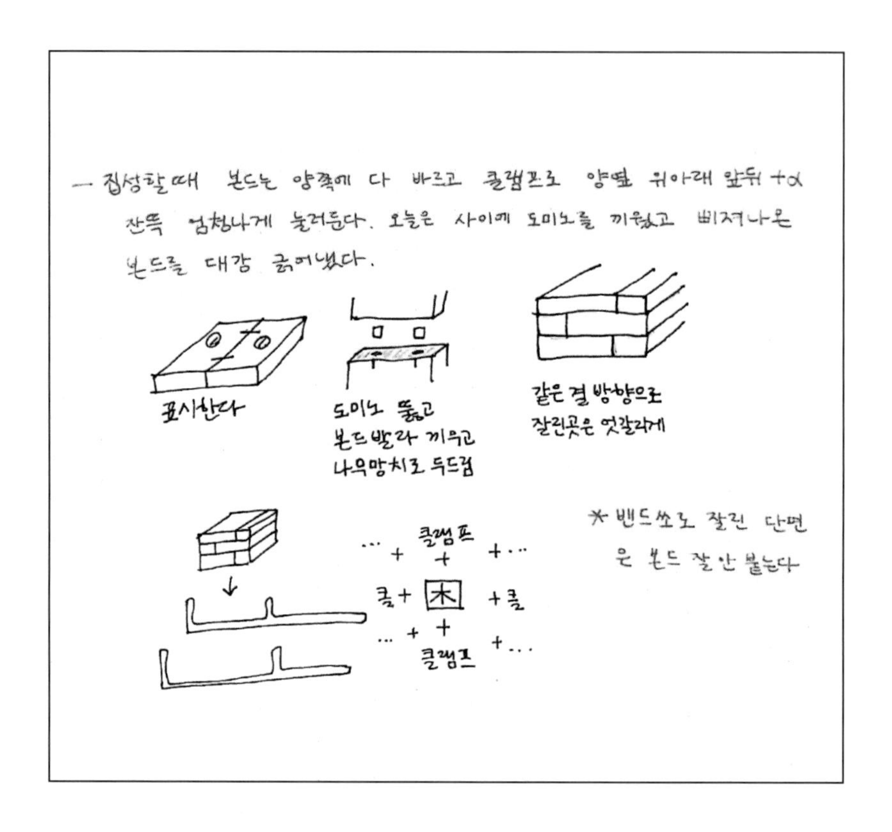

풀이 다 마르려면 시간이 필요하기 때문에 보통 클램프 집어 놓고 집에 간다. 다음날, 클램프를 다 풀고 정리하는 일로 아침을 시작한다.

[오늘 쌤의 전기명기]

← 여기를 파내는걸 테이블쏘로 날높이, 거리를 계속 눈대중으로 보면서 빠르게 날리고 조정하고 날리고 반복해서 남은걸 나한테 끌이랑 나무망치로 없애라고 했다.

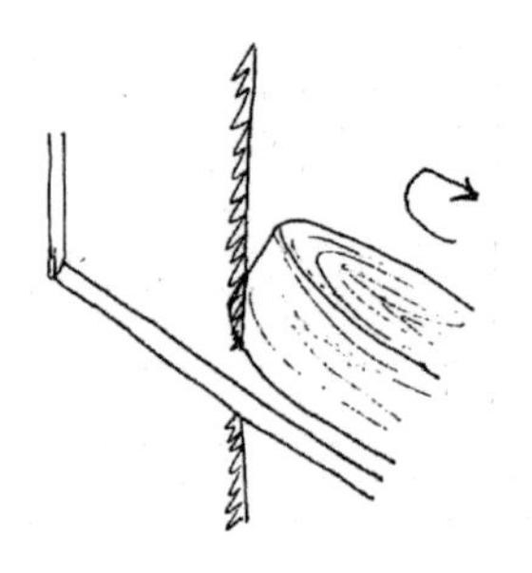

(나중에는 그냥 손으로 들고,)
밴드쏘 테이블을 기울여서, 감 깎는것처럼 저걸 돌리면서 둥글게 깎았다.
그다음은 전기대패.
그다음은 페스툴 거친 샌딩.

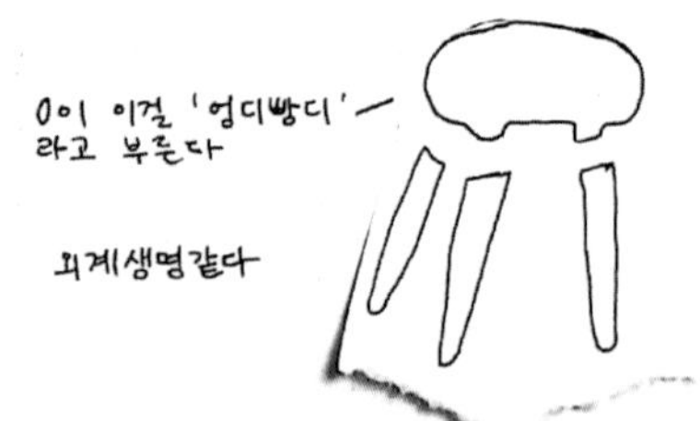

다리는 밴드쏘로 세로를 깎고 테이블쏘로 가로 각도 쳐서 도미노로 본체와 연결했다. 이후에 손대패로 다리를 원기둥 되게 다듬었다.

공방에서 3시간 정도 혼자 수공구 작업을 하면 고요히, 차분히 몰입된 명상처럼 느껴지게 된다.

끌과 나무망치를 쓸 때는 결을 잘 보고, 모서리는 특히 더 살살 조심해서 쳐야 한다. 쪼개지면 안 될 곳이 쪼개지면 함께 쪼개진 내 심장을 부여잡고 심호흡한다. 목재에 풀 발라 붙여 마스킹 테이프 또는/그리고 클램프로 고정해 응급 처치 한다.

오케이가 멋대로 엉디빵디라고 불러서 그게 이름이 되었다.

힘들 땐 미워지기도 해서 천천히 작업했다.

완성에 대해서는... 열린 결말로 두겠습니다. 언젠가 하겠죠.

데니쉬 코드
위빙 스툴

아침에 공방가는길에 이어폰으로 명상을 들었다. 오케이가 늦게 와서 해를 따라 공방 옆 육교에 올라 가 봤는데 그 너머에 산책길과 흐르는 작은 물줄기가 있었다. 숨을 크게 들이마셨고 기분이 좋아졌다. 조금 달리다가 육교를 내려오는데 멀리 오케이가 보여서 뛰어가서 웃는 얼굴로 인사했다.

"어디 가?"

"어? 아무데도 안 가. 기분이 좋아서 뛰었어. 저 육교 너머에 가 봤거든, 산책로가 있었어!"

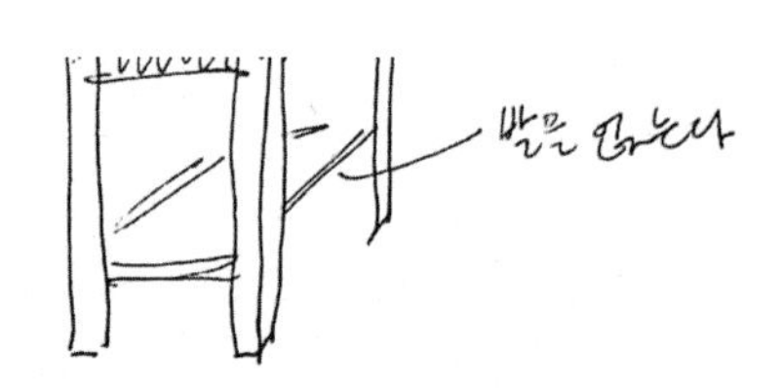

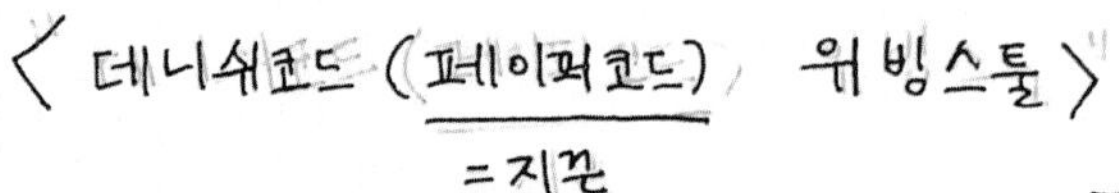

좌우 먼저 조립

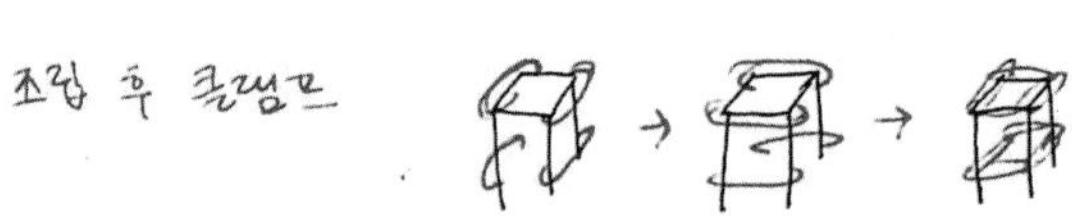

대각선 길이가 똑같게 하기

안맞으면 긴쪽을 클램프로 잡는다

+삐져나온 본드 닦기

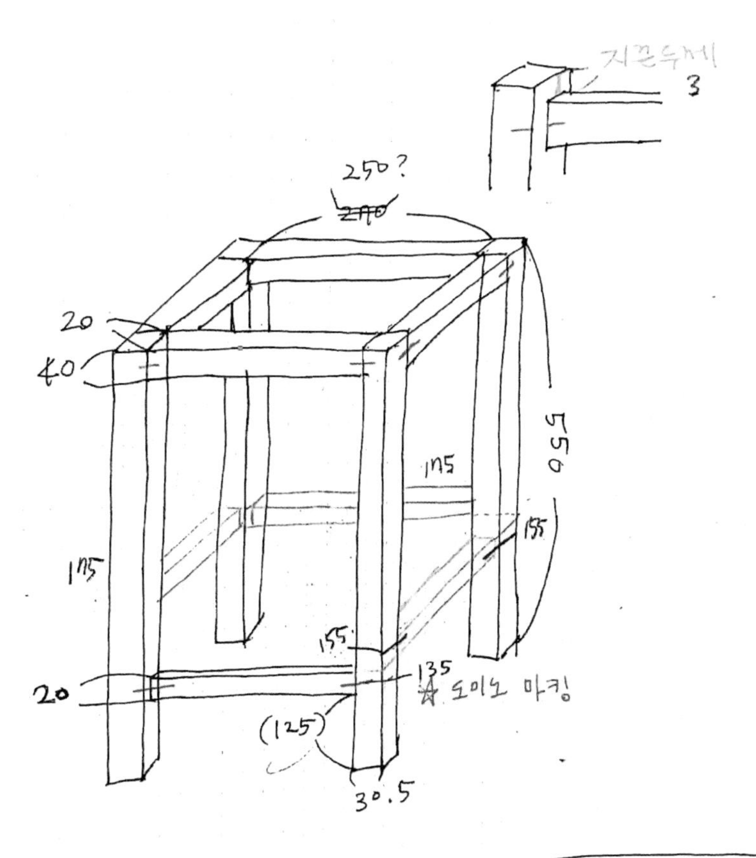

∴ 20 × 40 × 270 - 4개
30 × 30 × 550 - 4개
20 × 20 × 270 - 4개

아직 첫 스툴의 과감한 시도를 마무리짓지 못한 채 두 번째 수업이 시작되었다. 나는 이번 가구는 꼭 정해진 기간 안에 완성하고, 어떻게든 시간을 남겨서 지난 주의 밀린 걸 마저 하겠노라고 다짐했다. 그래서 선생님이 보여 준 샘플과 거의 비슷하게 만들었다. 완전히 똑같이 하기는 싫고 창의력을 시도할 여유는 없었다. 발 받치는 막대의 높낮이만 소심하게 변주했다가, 선생님이

"냉정하게 얘기하자면…"
"네?"
"… 아니에요."
"뭔데요!"

말 하려다 마는 걸 내가 뭐냐고 말해달라고 달라고 졸랐다. "높낮이를 다르게 할 거면 과감하게 하는 게 나아요." 소심함을 들켜서 할 말이 없다.

그래도 첫번째 스툴은 과감했잖아요…

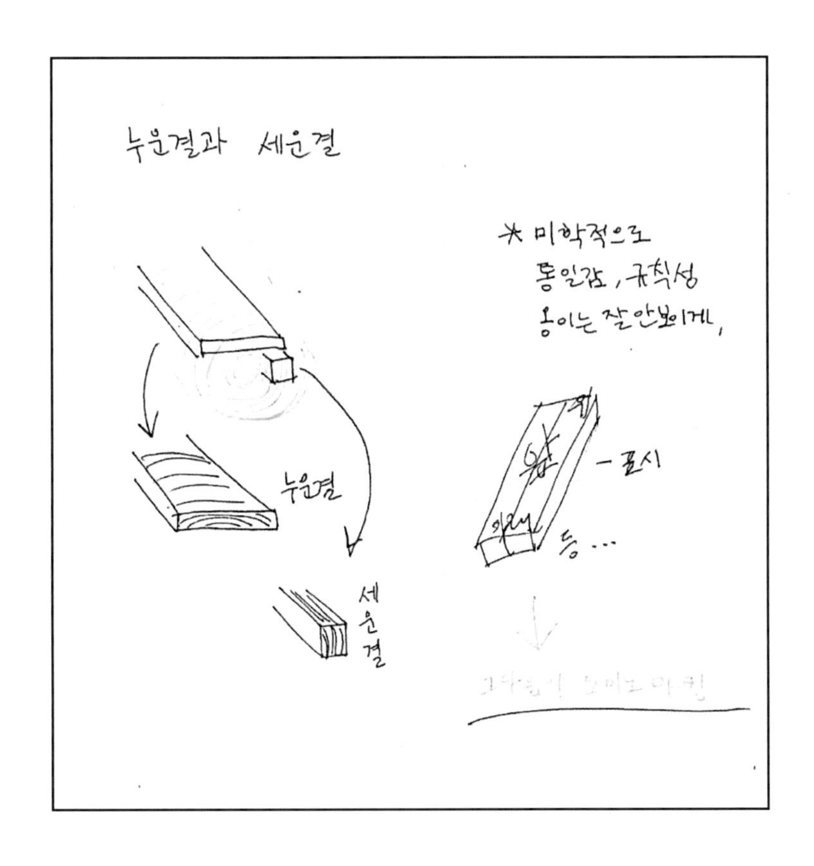

그리고 한 가지 더, 위쪽의 높이를 2mm 낮췄다. 샘플에 앉았을 때 2mm 뾰족하게 튀어나온 모서리가 엉덩이를 찔러서 속상했기 때문이다. 이 얘기를 유진에게 해 줬더니 한동안 유진이 나를 완두콩 공주라고 불렀다.

"넌 참 섬세한 사람이야."

"너도 만만치 않아. 근데 갑자기 왜 그런 생각이 들었어?"

"다른 사람들의 감정이 5가지가 있다면 너는 100가지 쯤 있는 것 같아."

"아! 감정을 세세하게 느끼는 게 내 삶을 풍요롭게 만들어 주는 느낌을, 난 좋아해."

"너한테 필요하기도 하고."

"맞아. 필요하기도 하고. 예를 들어서 봐, 아까 의자에 앉았을 때 튀어나온 아주 작은 모서리 때문에 아팠던 걸 내가 언어화하지 못하거나 뭐 때문인지 모른 채 그냥 기분이 나쁘기만 하다면 내 인생이 얼마나 혼란스럽겠어."

– 오케이와 수업 끝나고 집 가는 지하철에서 나눈 대화

풀을 바르기 시작했다면 마르기 전에 재빨리 조립하고 클램프로 조아야 한다.

사포질은 표면을 고르게도 하지만 다음 단계 (색칠, 코팅 등)을 잘 먹게 하기 위한 목적도 있다. 너무 오래 할 필요는 없고, 오히려 사포질을 과하게 할 경우 칠이 잘 안 먹기도 한다. 본드가 묻은 곳은 칠이 잘 안 먹는다. 그래서 스크래퍼 또는 사포로 긁어내고 칠해야 한다.

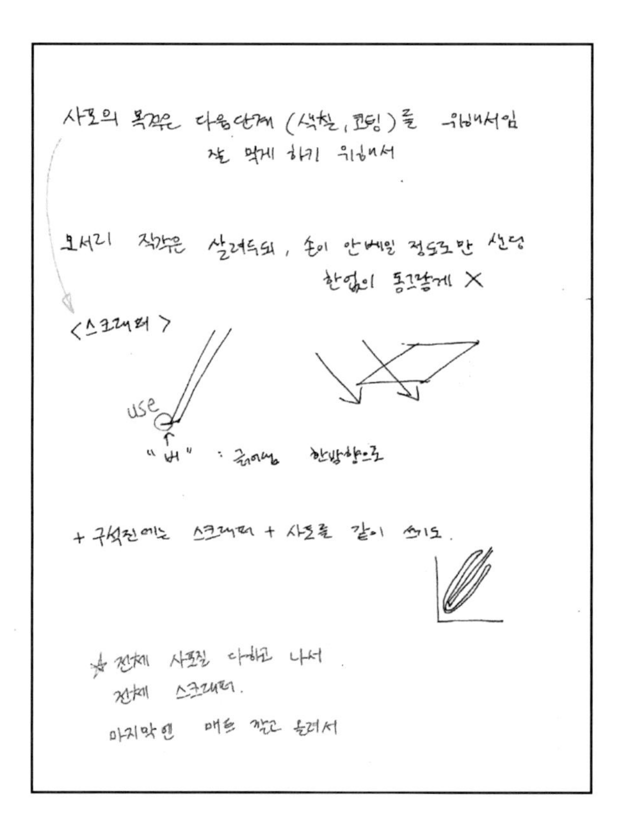

모서리의 직각은 살려두되, 손이 안 베일 정도로만 사포질한다."한없이 동그랗게 만들지 말아요." 이 말을 내가 무의식 중에 기억해서 훗날 선생님은 나에게 "모서리를 더 뭉개세요" 라는 말을 여섯 번 정도 더 하게 된다.

Tip. 위빙은 넓은 공간에서, 앉아서 하기보다는 서서, 몸을 크게 움직이면서 해야 그나마 허리가 덜 아프고 화도 덜 납니다.

춥고 사람많고 시끄러운 공방에서, 나는 짜증을 내고 있었다. '다음에도 이러면 이어폰을 껴야지.' 쌤이 나지막히 "취미 수준으로 낮춰줄까요?" 하고 물었다. 개짜증나서 쌤 대가리를 후리고 싶었다. '취미로 할 거였으면 이 추운데 공방 나왔겠냐고요.' 생각했다. 근데 사실 더 생각해보니까 좀 놀이처럼 하고 있던 것도 사실이었다. 어떤 직업을 가지든 일주일에 최소 5일은 일할거고, 대학을 다녀도 일주일에 4-5일은 학교가고 과제하고 공부하잖아? 그걸 생각하면 지금보다 더 잘먹고 잘자고 운동하고 작업의 페이스를 전체적으로 올려야지. 결국 좋은 자극이 됐다.

저녁에 친구 집에 놀러 가기로 했었는데, 위빙 하던 의자를 들고 갔다. 지끈은 약 3m씩 몇 개 자르고 끝에 마스킹테이프를 감고 둘둘둘 가방에 넣어서. 바닥이 찍히지 않게 내 옷을 아무렇게나 펼쳐 깔고 펜 한 자루 (직조를 밀고 당길 때 필요) 와 가위를 들고 밤 늦게까지 작업해서 완성 했다. 막 밤을 새거나 한 건 아니다. 친구랑 놀기도 놀았고 맛있는 저녁도 먹었고 잠도 충분히 푹 잤다. 다음날 아침, 나는 이걸 당당하게 들고 공방에 간다. 선생님이 마무리를 거의 다 해줬다.

손가락이 여기저기 쓸려서 아프고 빨갛다. 곧 물집이 잡히거나 굳은살이 생기겠다. 완두콩 공주가 아니라 쐐기풀 스웨터 뜨는 엘리제 공주가 된 기분을 느꼈다. 엘리제 공주는 소심하고 예민하고 누구보다 강인한 막내였을 것이다. 이 의자는 그러니까 막내같은 둘째다. 페이퍼코드는 쐐기풀에 비하면 훨씬 부드럽지만, 고통을 인내하고 이겨낸 강인함의 마법이 이 의자에도 깃들었을 거야.

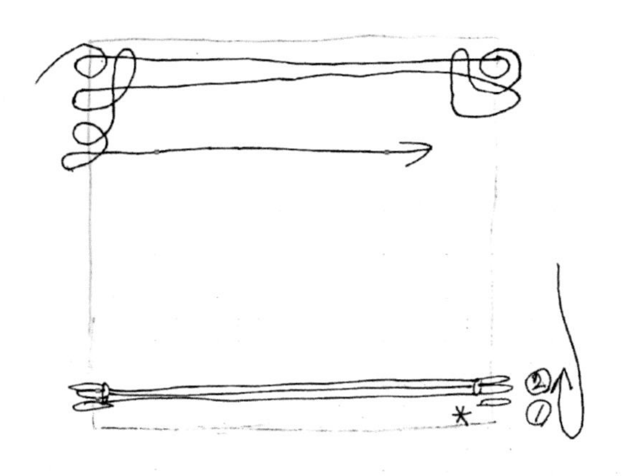

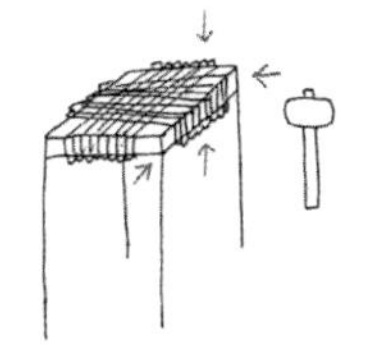

나무망치로 울퉁불퉁한 줄과
매듭을 쳐서 가지런하게 한다.

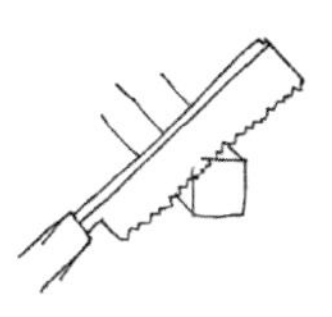

다리 높이가 안맞으면 긴쪽을
찾아 톱으로 잘라 맞춘다.
(쌤이 해줌. 1mm도 안됨와우)

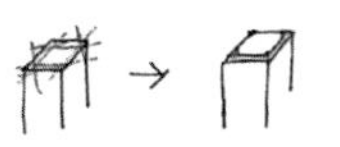

대패로 모서리를 날린다
(바닥에 닿는 면)
이걸 안 하면 의자를
끌다가 쪼개질 수 있다.

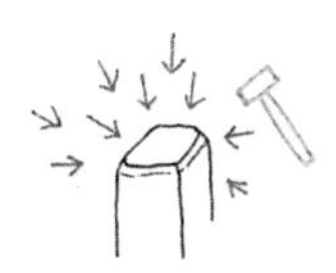

망치로 꽁꽁꽁 친다 끝

톱질에 대한 단상들

5번째 - 톱질중인 오케이의 톱날이 손에 너무 가까워 보여서 내가 들고 있던 톱을 눕혀 오케이의 왼손을 보호하고자 시도한 사진이다. 선생님이 위험하니까 그러지 말라고 하셨습니다. *따라하지 마시오.

톱으로 각재를 얇게 썰었다. 소묘 선긋기 연습이나 피아노 손가락 연습과 비슷하다고 생각했다. 엄지손톱 끝을 조금 날려먹었다. 잡생각을 하면 바로 선이 비뚤어졌고 온 신경을 자르는 데 집중하면 바르게 자를 수 있었다. 눈이 네 개, 손가락이 열여섯 개 쯤 있으면 좋겠다고 생각했다. 그렇게 생각하면서 하니까 또 삐뚤어졌다. 거기서 화가 나면 이제 그 결과물은 더 난리가 났다. 소나무 각재가 익숙해진다 싶을 즈음 선생님이 호두나무 각재를 가져왔다.

톱질을 하다가 별안간 톱날 밑의 나무먼지를 털고싶은 충동에 왼손을 집어넣어서 냅다 손가락을 베었다. 가끔 나는 이렇게 어이없이 다친다.

정확히 자르는 것이나 정확히 재고 그리는 것의 쾌감을 몇 번 느끼고 점점 그 정확함이 어느 순간 손에 달라붙으면, 그 전으로 돌아가는 것은 불가능하다. 정확함이 더 이상 행운이나 쾌감이 아니게 되고 반복되고 당연함이 되고 있다. 이젠 잘린 걸 자로 재 보지도 않다가 말도 안 되는 오차(이번에는 5mm)가 생기면 그저 얼탱이가 없어지기만 하는 것이다.

<부정확=당연함 + 정확=개짱> 에서

<정확=당연함 + 부정확=뭐지왜지?말이안됨> 으로의 이행

Tip. 상완(팔 위쪽)을 몸에 붙이세요.

Tip. 톱질은 바이스에 물려놓고 하면 편하고 그래도 흔들리니까 잡고, 끌질은 클램프로 고정해놓고 하면 편해요.

나는 손 톱으로 짜맞추는 걸 하면 꼭 헐렁하다. 톱이 스케치선을 먹는지 남기는지가 핵심인 것 같은데, 아직 잘 아니 전혀 모르겠다. 열토당토 않게 헐거덕거리고 그렇다고 단면이 반듯한 것도 아니고. 스케치는 완벽 까진 아니었어도 괜찮았다. 톱질이 문제다. 내 생각보다 덜 잘라내야 한다. 아는 선배가 수공구는 틈 날 때마다 많이 연습하라고 말했다. 딱, 연습, 하는, 만큼, 는다며. 세상에 노력으로 되지 않는 것들이 얼마나 많은데, 수공구만큼 정직한 게 없다며. 선생님이 나무를 종잇장처럼 얇게 잘라와서 헐렁거리는 틈에 본드 발라 끼우고 자르고 대패질해서 감쪽같이 만들었다.

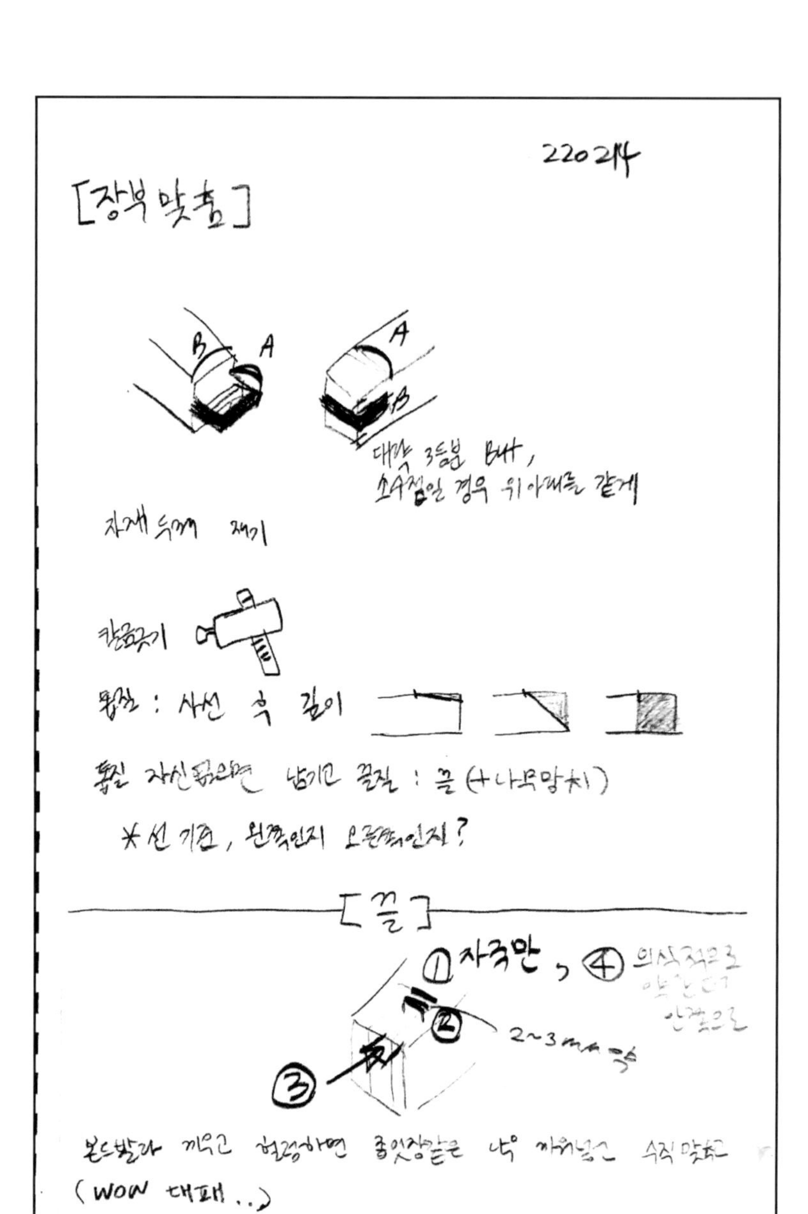
220214
[장부 맞춤]
B
A
A
B
대략 3등분
소수점일 경우 위아래를 같게
자재 두께 재기
칼금긋기
톱질 : 사선 후 길이
톱질 자신 없으면 남기고 끌질 : 끌 (+나무망치)
* 선 기준, 왼쪽인지 오른쪽인지?
[끌]
① 자국만, ④ 의식적으로
안쪽으로
②
③
2~3mm 씩
본드발라 끼우고 헐렁하면 종잇장 같은 나무 끼워넣고 수직 맞추고
(WOW 대패..)

모든 날붙이는 주기적으로 날을 갈아 줘야 한다.

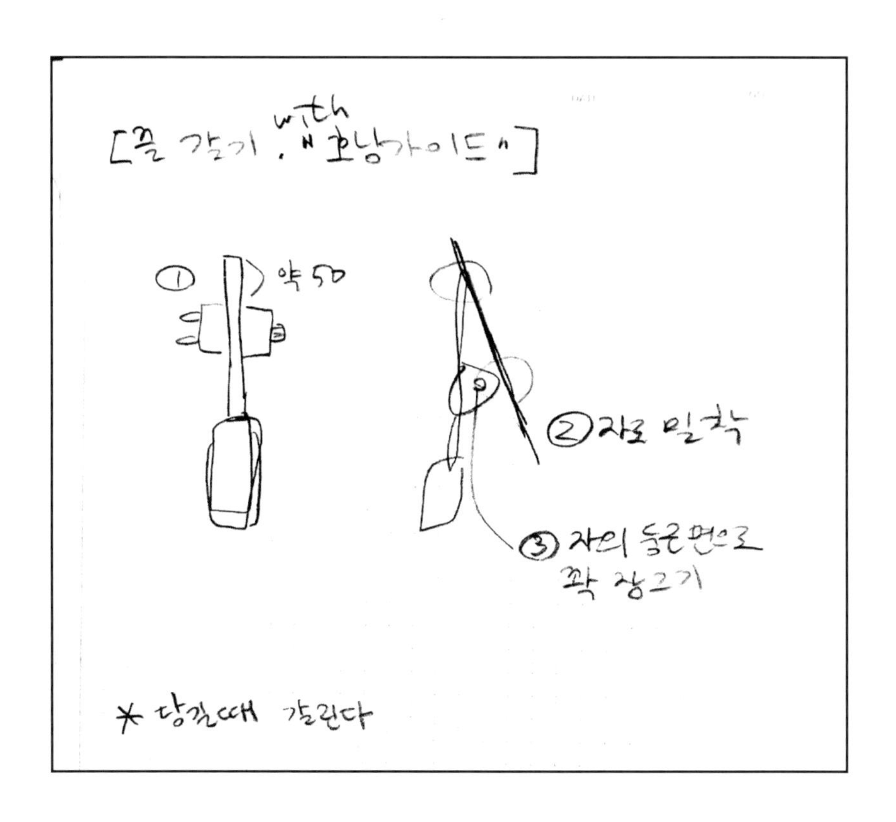

숫돌을 아래로 눌러서 미는 게 아니라, 빙판 위를 미끄러지듯 앞뒤로 당겨서 갈아야 하고 양 손의 힘을 균일하게 줘야 한다. 저는 처음에 숫돌을 패먹었고 끌 끝을 둥글게 만들었다.

서랍

서랍; drawer
draw; 당기다, 그리다
그리다; draw, miss
miss; 놓치다, 그리워하다

너랑 매주 만나도 같이 배우고 같이 일해도 나는 너랑 놀지 못했고 너랑 너무 놀고싶었다. 같이 놀기 위해 네가 보고싶었다.

스툴을 완성했지만, 내 공간에 놓고 직접 사용할 수 없었다. 나는 풀옵션 쉐어하우스에 살고 있고 나에게 주어진 빈 공간이라는 게 많지 않기 때문이다. 세 번째는 서랍이었다. 선생님은 높이가 1m 정도 되는 큰 서랍을 말씀하셨지만, 나는 내 방 책상 위에 놓고 쓰고 싶다고 우겼다.

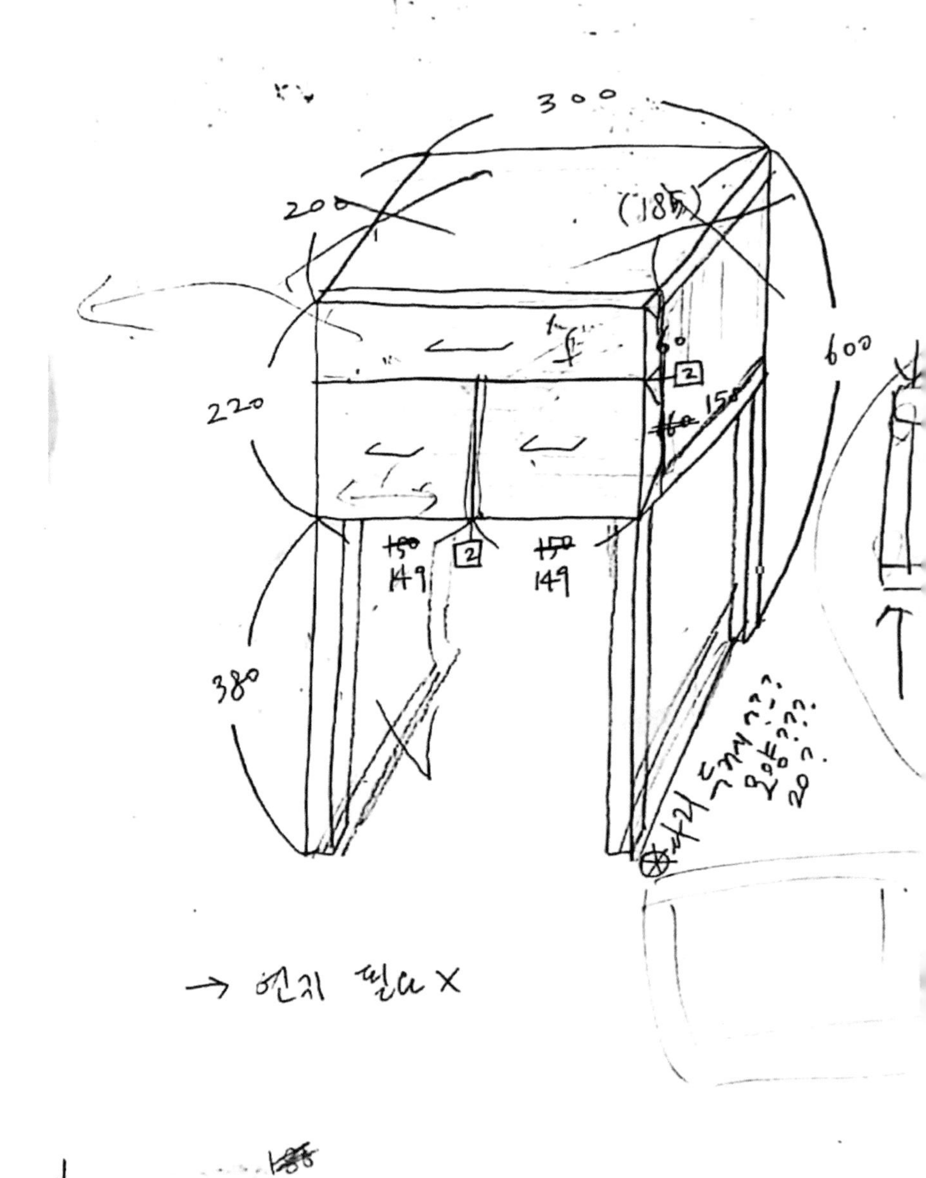
300
200
(186)
600
220
150
149
149
380
→ 연귀 필요 X

상하 300 × 185 × 2장

좌우 190 × 185 × 2장 24×24×138

각재 ~~25×25~~ 24×24 ~~20×20~~ × 380 × 4개 → ~~20×20~~ ~~×164~~ × 2개

뒷판 280 × 200 × 1장

⊕ 나무레일 (12×12) × 17.3 × 2개

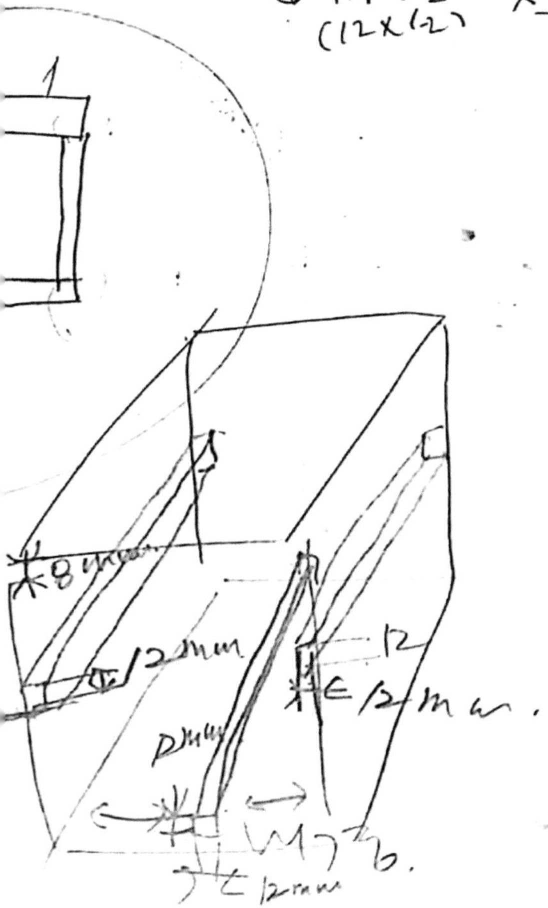

8mm

12mm

12

12mm

12mm

12mm

외형자재 2

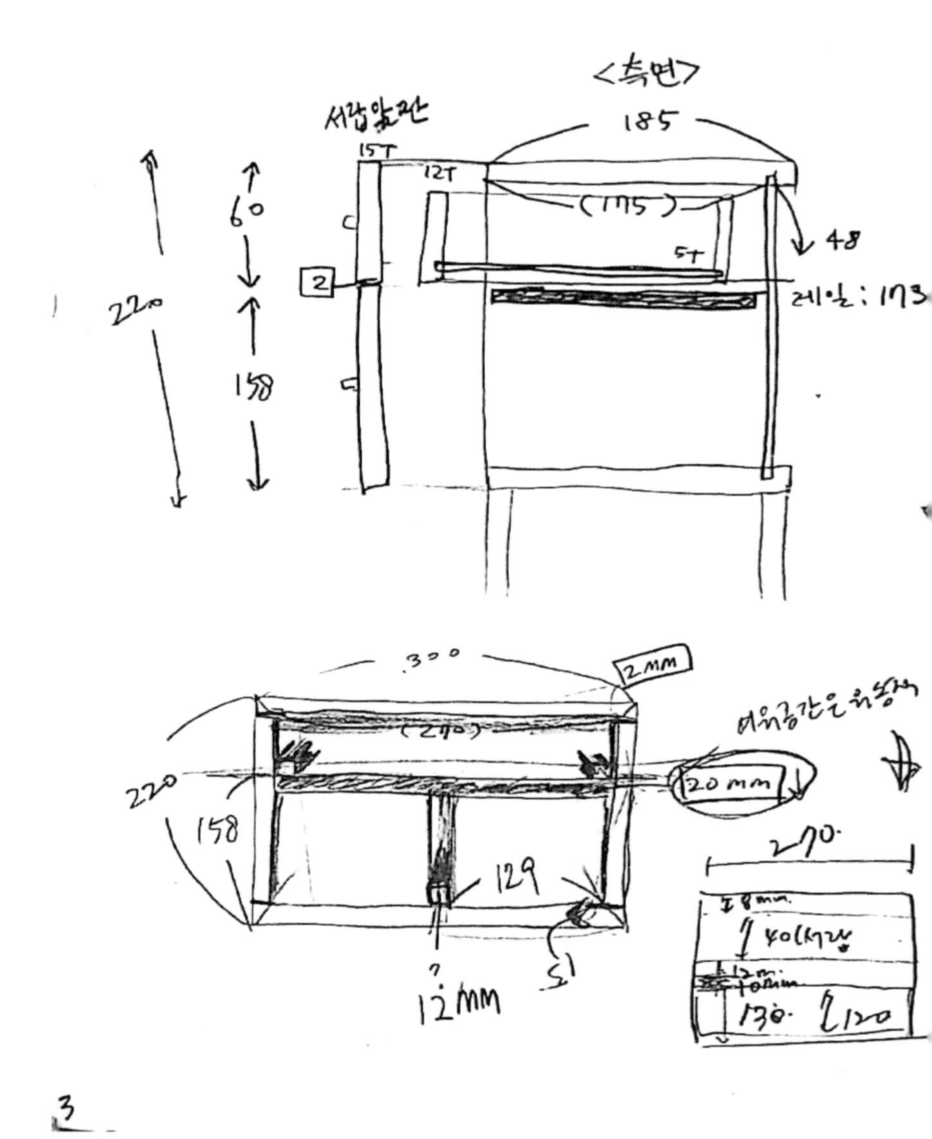

<측면>
서랍앞판
185
15T
12T
(175)
48
5T
60
220
158
2
레일 : 173
300
2MM
(270)
220
158
20 mm
129
12MM
51
270
130
120
3

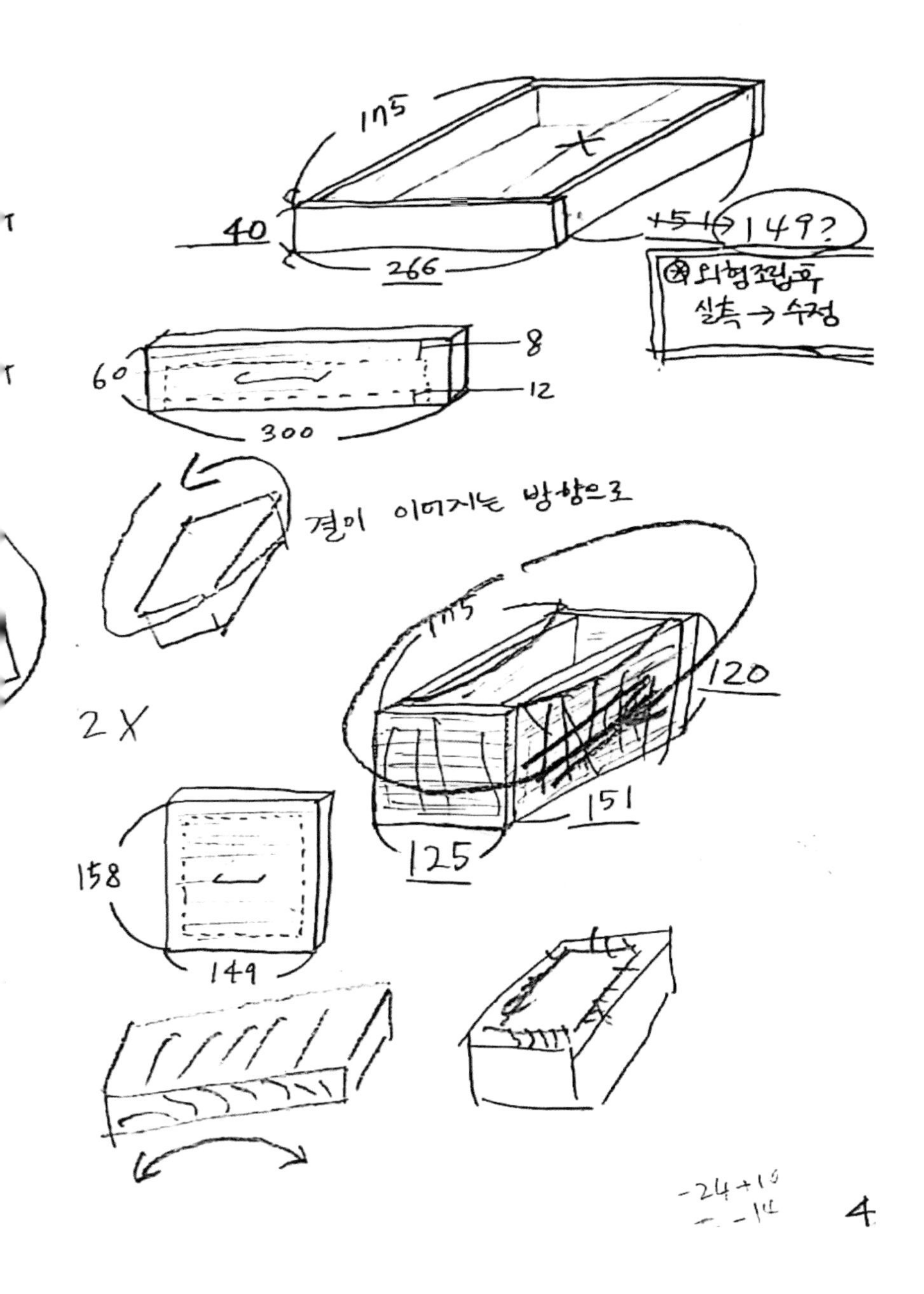
175
40
266
+51 → 149?
※외형조립후
실측 → 수정
60
8
12
300
결이 이어지는 방향으로
175
120
2X
151
125
158
149
-24+10
= -14
4

15T	A	300 × 60	×1장
	B	158 × 149	×2장
12T	앞뒤A	266 × 40	×2장
	좌우A	151 × 40	×2장
	앞뒤B	125 × 120	×4장
	좌우B	151 × 120	×4장
5T	밑판A	161 × 252	×1장
	밑판B	161 × 111	×2장

*

재단 전 슬라이딩쏘 청소 (집진기 ○ 에어 X)

필요하면 롤러 대기, 크게 켜면 2인 1조

끝부분은 살짝 날리기 (직각, 코팅 등) 엣미리만

합판은 거친면이 안, 매끄러운면이 밖

5 서랍제작

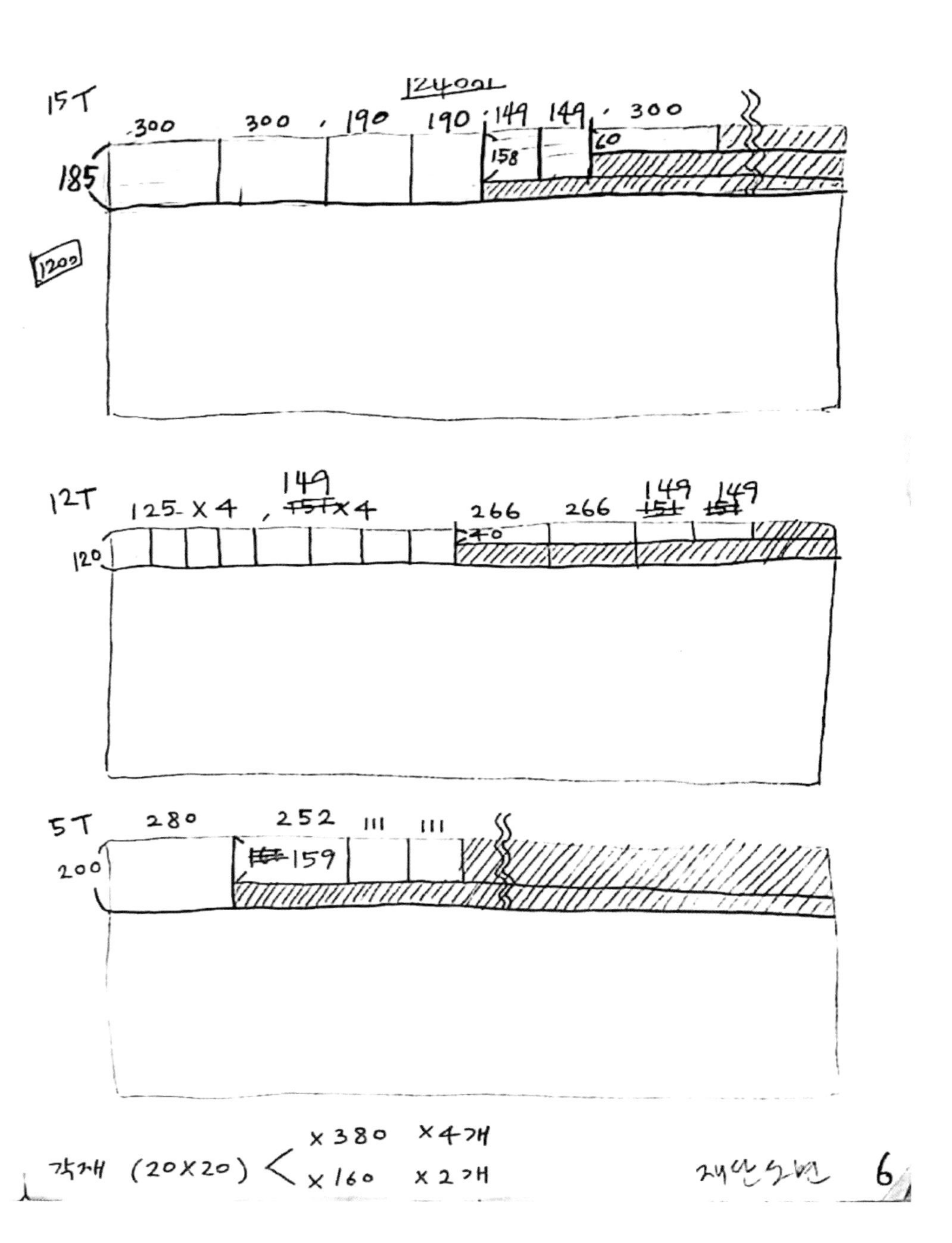
15T
1240이
300
300
190
190
149
149
300
185
158
60
1200
12T
125 X 4
149
151 X 4
266
266
149
151
149
151
120
240
5T
280
252
111
111
200
159
각재 (20X20)
x 380 x 4개
x 160 x 2개
재단도면
6

나는 책상 구석에 책을 쌓아 두는 걸 좋아하는데, 나란히 세워 둔 책 위로 수납 공간을 추가하면 좋겠다고 생각하며 (선생님의 반대에 반대하고) 다리를 길게 스케치했다. 서랍의 크기는 내 방 책상 위에 실제로 굴러 다니는 것들을 떠올리며 정했다: 안경, 필기구, 포스트잇, 비타민, 고무줄....

순서

0. 스케치, 도면 등 그리기
1. 외형 자재 재단
2. 외형 조립 (마키타 비스켓 사용-도미노보다 힘은 약하지만 쓰기 더 편하다)
3. 다리 재단, 도미노로 외형(본체)와 연결 (뒤틀리지 않게 직각 철물 같은걸 클램프로 같이 집어 두었다.)
4. 조립 후 외형의 내측을 실측. 스케치와 달라진 부분을 서랍 사이즈에 반영, 조정하기
5. 서랍(부품) 자재 재단, 조립
6. 서랍과 서랍앞판 연결 (서랍을 닫은 채 앞판을 대고 그대로 잡고 빼내서 스케치 해두고 비트+본드+나사 조립)
7. 사포질, 칠 등 마감하기

샌딩 = 사포질 단계

샌딩 단계부터는 패드를 꼭 깔고, 가구를 작업대 위에 막눕히거나 뒤집어 놓으면 안 된다. 샌딩 한 면이 다시 찍히고 뭐 묻고 그러면 영원히 샌딩하게 될 수 있다.

면, 넓은 부분에는 사각 샌딩기 쓴다. 특히 원형 샌딩기는 넓은 면에 대고 누르면 무조건 패인다. 힘을 주어 꾹 누르는 게 아니라 얹어 놓고 슥슥 움직여 샌딩한다.

샌딩을 하는 이유는 단차와 본드자국, 오염 등을 없애고 고른 면을 만드는 것이다. 따라서 대패, 트리머, 카피비트 등을 적절히 곁들여 쓴다.

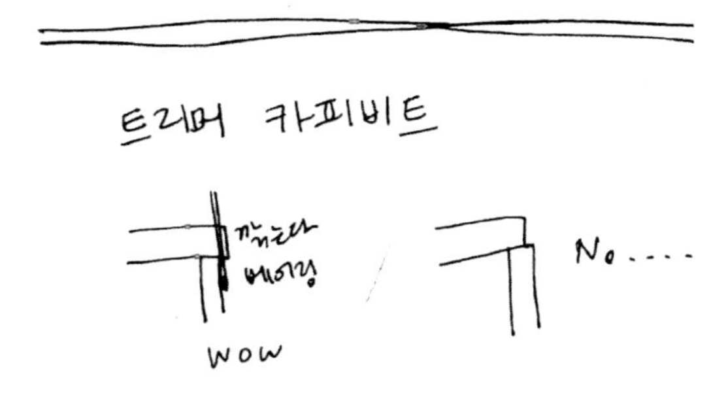

서랍 앞판의 모서리를 트리머로 2R (지름인가 반지름이 2mm) 둥글렸다. 날카로우면 깨진댔나. 샌딩기 쓰기 전에 손사포로 살짝 뭉갰던 건 샌딩하다가 끝에 갈라지지 말라고 뭉갰던 거였었다. 샌딩이 끝나고 나면 깨끗한 천으로 먼지를 닦고, 마감 칠한다.

양심 고백

사실 제가 아직 서랍에 브레이크 만드는 법은 안 배워서 서랍을 들고 앞으로 기울인다면 모든 것이 우수수 쏟아질 수 있습니다.

도미노 비트 크기 확인을 안 해서 구멍을 한 번 잘못 뚫었다. 구멍에 맞는 도미노 조각을 본드 발라 넣고 목심 자르는 톱을 바짝 붙여 썰어냈다. 그리고 맞는 비트 찾아 바꿔 끼우고 다시 뚫었다.

서랍이 혹시나 안 들어갈까 봐 외형과 부품의 크기 차이를 더 냈는데 그러면 안 되는 거였나 보다. 선생님이 남는 공간에 쫄대를 덧붙였다.

서랍과 서랍앞판을 잇는 나사 구멍은 선생님이 아무 데나 뚫어도 된다고 해서 정말로 아무 데나 뚫었다. 잘 안 보이는 곳이지만 그래도 좀 가지런히 뚫을 걸, 다 조립하고 나서 생각했다.

돌이킬 수 없는 일들에 대해서는 그저 깨달음을 얻고 사랑스러워하고 다음에 더 잘 하는 수밖에.

켜고 자르기 (슬라이딩 쏘)

220119

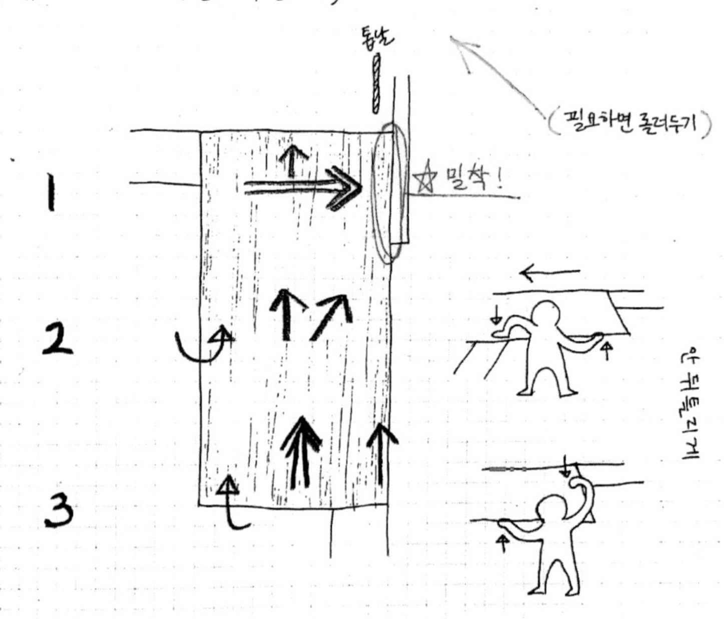

☆ 쏘 사용 전 집진기로 청소 (에어건 X)

☆ 어느 정도 이상 일정한 속도감으로 밀어야 한다.
(너무 느리게 머무르면 톱날이 타버린다)

☆ 끝부분은 살짝 날리기. (코팅, 직각 등의 이유)

· 필요하면 롤러 대기, 큰 걸 켤 때는 2인1조.

· 합판은 거친면이 안, 부드러운 면이 밖

· 어디가 잘린 면 (코팅날린면) 인지 분필같은걸로 표시해두기

· 재단 끝내고 나서 연필로 표시 (레일선, 앞뒤 등)

☆ 자를 때는 앞의 바에 밀착!

· 장갑은 벗고 하는 게 나음

슬라이딩 쏘를 쓸 때 장갑을 벗고 하는 게 더 안전한 이유는 (낮은 확률이긴 하지만 만에 하나 혹시라도) 쏘에서 다칠 일이 생긴다면 장갑 따위는 아무것도 보호해 주지 못하는데다, 오히려 장갑이 손의 감각을 둔하게 만드는 게 더 사고발생율을 높이기 때문이다. 큰 무거운 목재를 들고 옮기는 일 외의 소목 작업에서는 보통 장갑을 잘 끼지 않는다.

귀마개 밖으로 들리는 일정한 소리, 피부에 느껴지는 공기의 흐름, 손끝에 느껴지는 진동과 스스로 통제할 수 있는 저항의 감각, 적당한 차분함과 적당한 긴장감 사이의 마음, 과하게 긴장되지도 이완되지도 않은 몸의 근육들, 내가 무엇을 하고 있는지 알고 있는 방향성, 경험과 꾸준함, 집중.

이런 것들이 내가 안전하다는 걸 알게 해 준다.

* 주의! 초보는 숙련자의 지도 없이 혼자 (또는 초보끼리) 절대로 잘 모르는 기계를 조작하지 마세요. 매우 위험합니다!

* 작업 중에 안전하지 않다고 느껴지면, 그 직관과 감각은 언제나 옳으므로 즉시 작업을 중단하고 휴식을 취하거나 주위에 도움을 요청하세요.

창호

너는 "사랑스러움" 이 구체적으로 어떤 거라고 생각해?

조그맣고 귀엽고 꼬물거리는 대상에게 뭘 해주고 싶게 만드는 느낌? - 소원

보고 있으면 자연스레 입꼬리가 올라가게 되는 거! 날 웃게 만들어주는 걸 사랑스럽다 라고 생각하게 되는 것 같아! - 완규

사심없이 생각할 틈도 없이 사정없이 구겨져 터져 버리는 웃는 얼굴! - 오케이

살아있는 에너지가 뿜뿜 느껴지는 사람. 보고 있으면 덩달아 따라 웃거나, 자연스럽게 곁에 있고 싶은 사람을 나는 사랑스럽다고 합니다. - 게르

이유가 있으면 존경, 이유가 없으면 사랑스러움. 꾸꾸(고양이. 막내)는 킹랑스러움. - 유진

이름: 창호

용도: 선생님에게 물어보니까 공간 분리, 또는 장식이라고 말했다. "테이블 쏘를 정확하게 쓰는 법을 익히는 거예요."

1. 스케치
2. 길이 산출
3. 테두리 길이 자르기
4. 테두리 반턱 (자재 두께만한 톱날로 교체. 톱날 높이를 자재의 반으로 맞추고, 대칭이니까 길이 맞춰서 한쪽 파고 뒤집어서 파고 ...반복)
5. 고무망치로 살살살 쳐서 조립
6. 안에 작은애들 자르기 (반턱용 톱날과 자르기용 톱날은 다름. 자르기 전 톱날 교체)
7. 45도 치기 <=<

* 톱날 높이는 목재+5mm 정도로 맞춘다.
* 길이는 자로 맞추고, 버리는 목재로 샘플 잘라서 재 보며 정확히 맞춘다. 직각자로 잘린 단면의 직각도 확인한다.

테이블쏘 톱날 교체 방법

1. 락 걸기
2. 스패너로 너트 풀기 (*너트, 와셔를 밑으로 안 빠트리게 조심하기...)
3. 교체 - 톱날이 내 쪽을 향하도록
4. 스패너로 다시 조으기
5. 락 풀기 (***안 풀고 기계 작동시키면 안쪽이 왕창창 부서짐!!!)

테이블쏘 너트와 톱날 사이에는 와셔가 하나 있는데, 미끄럽고 무거워서 떨어뜨리기 딱 좋다. 처음에 나는 그게 톱날에 붙어있는 건 줄 알았지. 톱날만 잡고 뺐다가 와셔를 기계 안으로 빠뜨렸다. 선생님이 구석에 들어가서 기계를 열고 톱밥 속에서 와셔를 찾았다. 오케이가 톱날을 교체할 때 그래서 옆에서 보면서 "와셔 안 떨어뜨리게 조심해." 라고 말했다. "응!" 오케이가 대답하자마자 와셔를 아래로 빠뜨렸다. 우리는 배를 잡고 깔깔깔 웃었다. 이번에는 오케이가 구석에 들어가서 기계를 열고 톱밥 속에서 와셔를 꺼냈다.

오케이: “해냈다.”

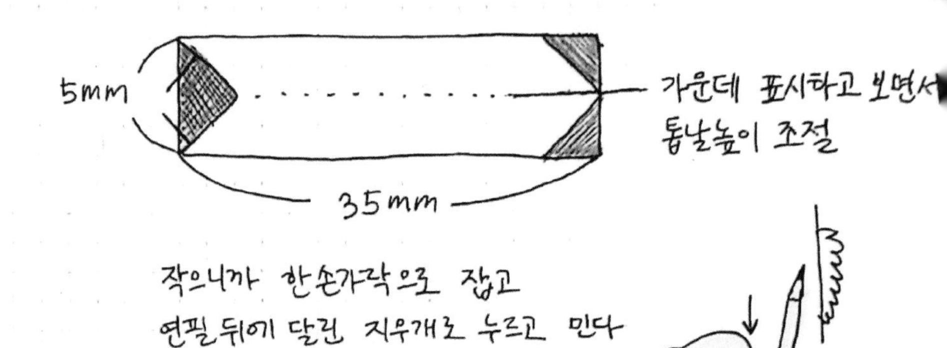

외형, 안쪽 맞는지 끼워본다 (안들어가는 것 같다고
더 자르지 말고 어떻게든 끼우면 들어갈수도 있다)

그대로 뺀다 (흐트러질것 같으면 숫자 적어두기)
순간접착제 발라서 붙인다 (조립) + 경화제 뿌리기
울퉁불퉁한 면을 사각샌딩기와 서양대패로 평평하게 만든다

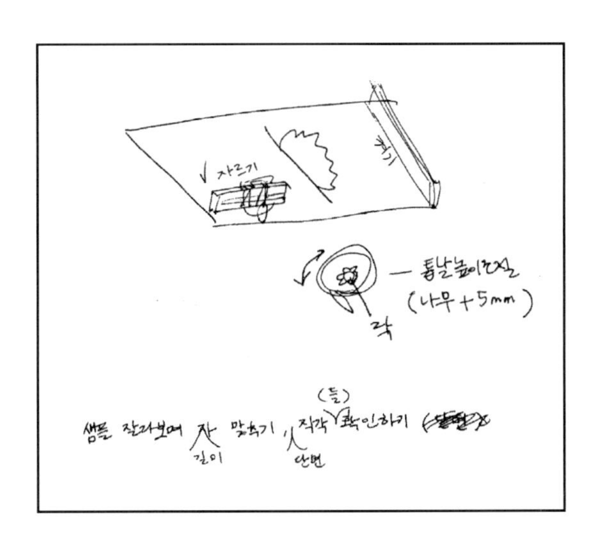

맞아, 창호는 본드로 안 붙이고 순간접착제로 붙이고 경화제를 뿌리더라고. 작아서 그런가? 막대를 얇고 길게 켜는 건 선생님이 해 줬었다. 그리고 그때 창호 만들 때 접착제 바르기 전에, 맞게 잘랐는지 한 번 끼워보는데 한 조각이 아무리 어떻게 해도 안 들어가는거야. 그래서 그 조각을 아주 아주 조금 더 잘라내고 조립했는데, 하고 나니까 딱 잘라 낸 만큼 비는 거 있지. 말도 안 돼. (말도 안 되는 일이야.)

샌딩이랑 대패로 마무리 하는 건 쌤이 해 줬다. (그거 말고도 많다.) 처음에 자재를 얇고 길게 켜는 것도 쌤이 해 줬다. 어쨌거나 뿌듯해하기 오늘도!

좌식이

1mm
82°

죽어서 무엇을 남기고싶은지 오케이가 물어봤다. 나는 크게 두 가지 생각이 있다. 첫번째는 '한낱 먼지인 내가 죽으면 다시 먼지가 되고 모든 것이 먼지가 될 뿐이지 뭘 남기냐' 하는 것과, 두번째는 '내가 사랑하는 남겨질 사람들에게 모든 걸 주고싶다.'는 것이다. 나의 물질들, 비물질들, 남은 행운이나 당신이 잘 되길 바라는 마음, 사랑 등 모든 것을. 오케이는 사람들이 살다가 어느 날 어쩌다가 문득 자신을 떠올리고 웃을 수 있으면 좋겠다고 말했다.

기억

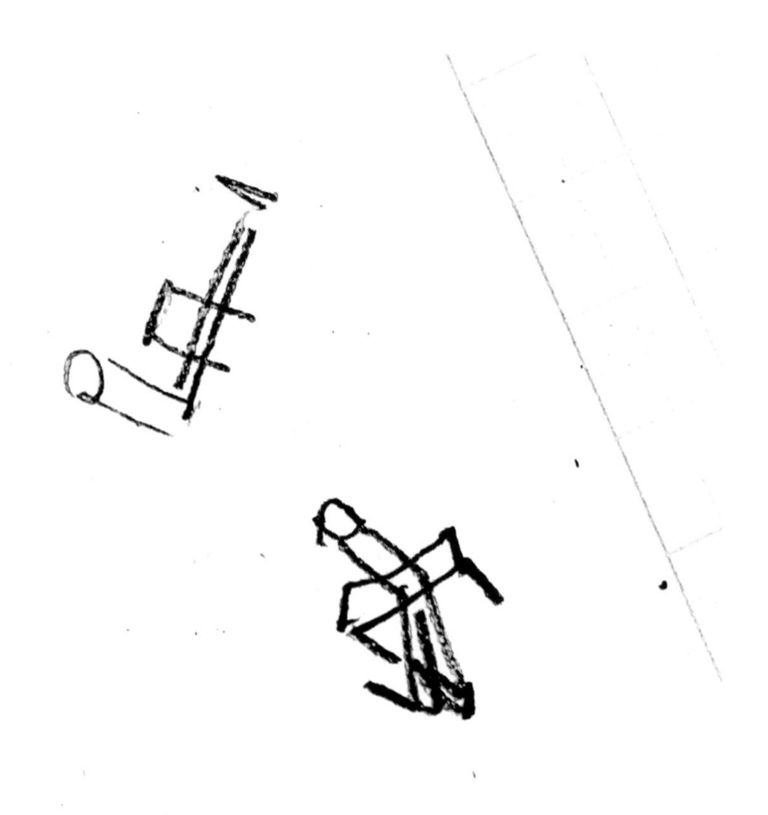

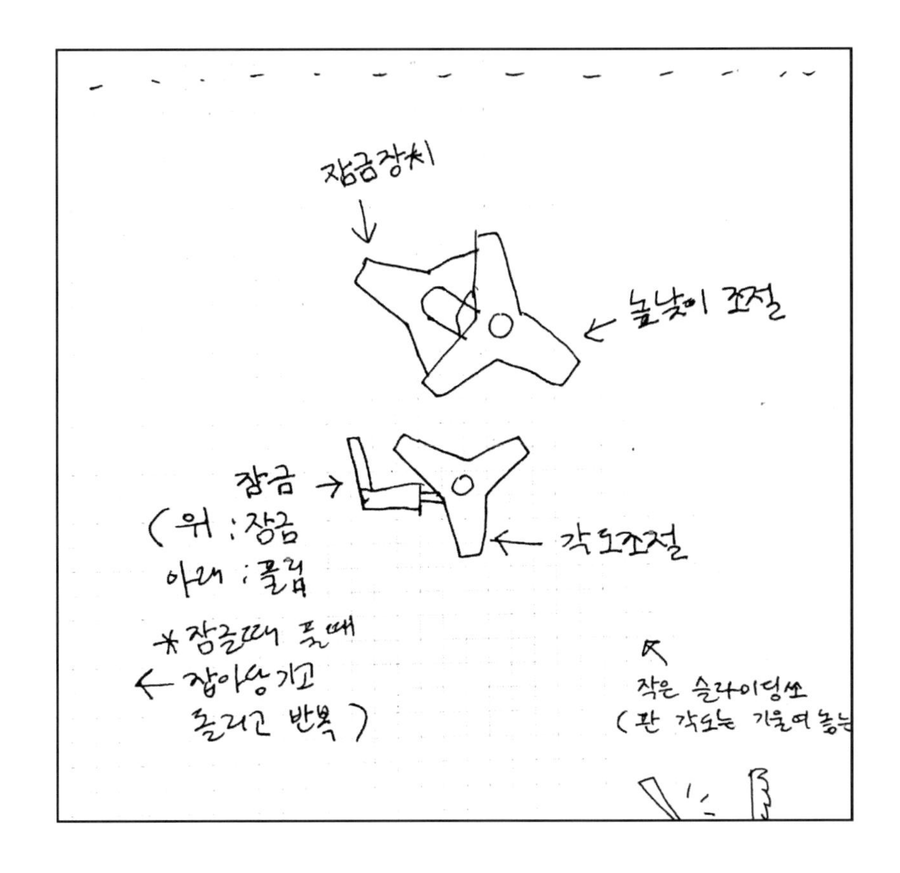

쏘 톱날 각도 조절 방법 : 톱날 높이를 높이고 영점 맞춘 전자 각도기를 톱날에 붙인다. 작은 슬라이딩 쏘 (그림) 의 경우 가운데 아래에 있는 걸 돌리고, 테이블쏘의 경우 오른쪽 아래에 있는 걸 돌린다. 그러고 나서 높이 다시 조절하기.

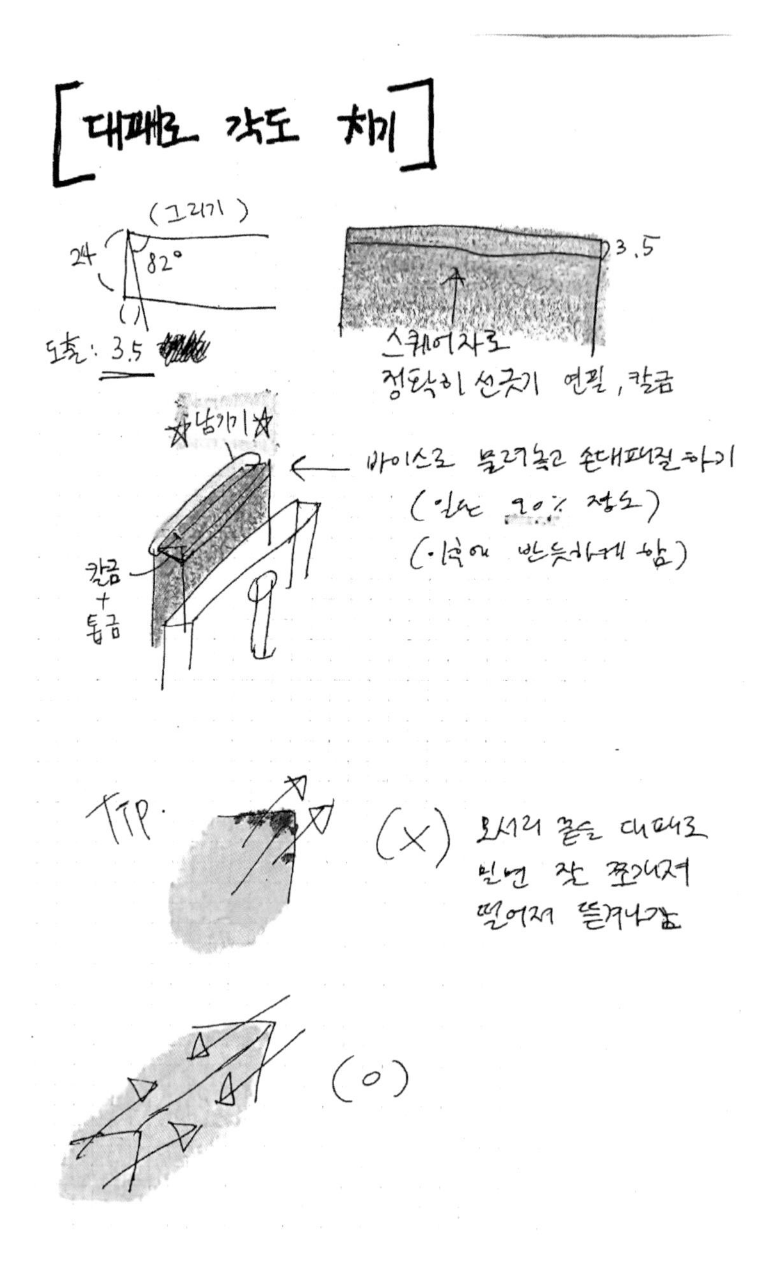

수업 들으면서 졸다가 순서 하나를 빼먹어서 기계로 하면 몇 분만에 했을 작업을 손대패로 몇날 며칠 하게 되고,

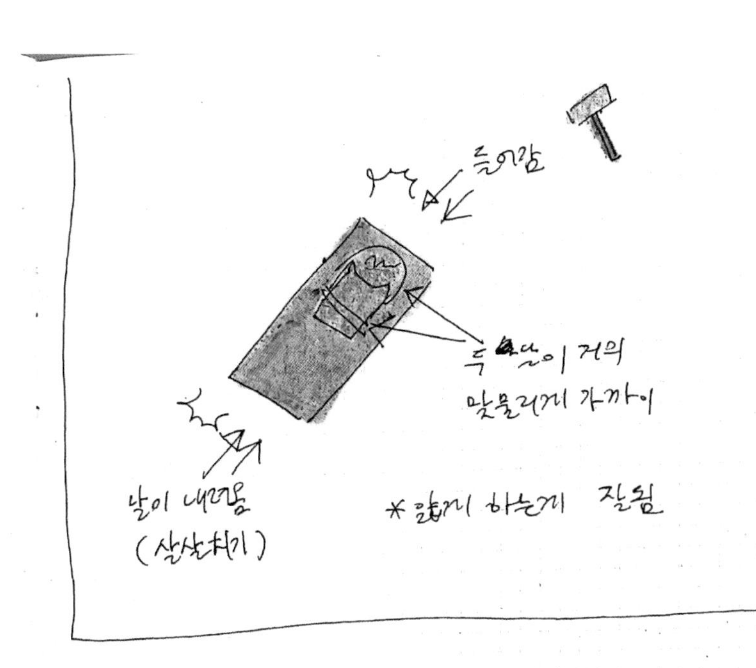

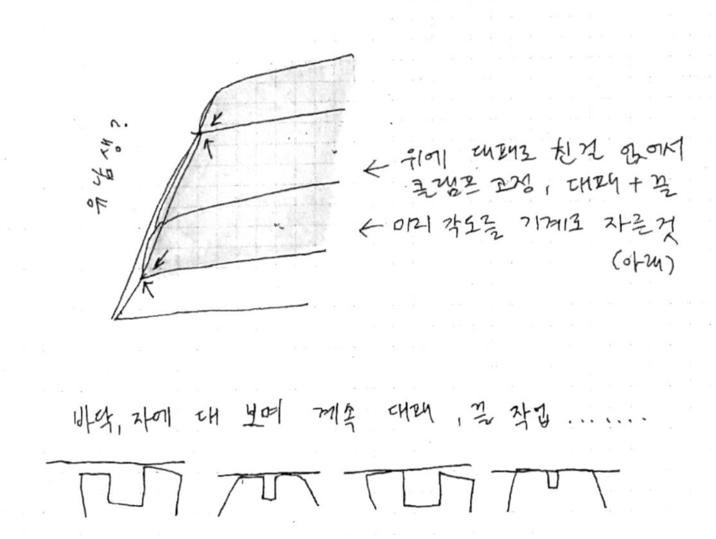

대패 날을 갈다가 또 숫돌을 다 패먹고 반달돌칼을 만들게 된다.

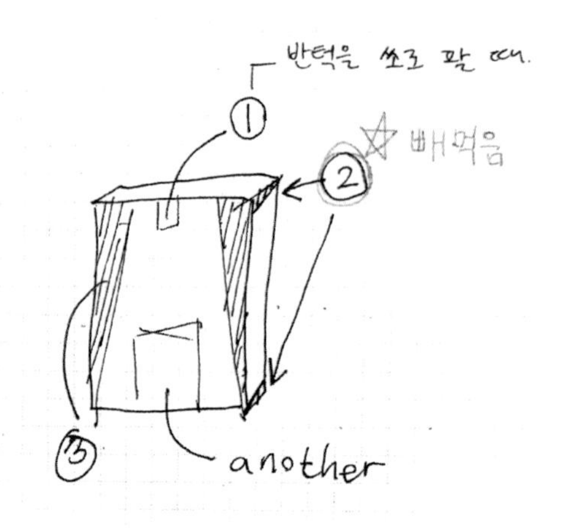

날 갈기는 생각보다 훨씬 더 힘을 안 주고 해야 한다. 어쩐지, 날 몇 개만 더 갈면 손가락에 관절염 걸릴 것 같더라. 내리누르면 안 된다. 살살! 너무 빨리 하지 말고! 살살 하는데 어떻게 갈리는 거야? 신기하다. 전에도 이런 필기를 한 적이 있는데 또 적혀 있다는 건 까먹기 좋은 것이거나, 스펙트럼 위의 상대적인 어떤 정도의 문제라서 그 알맞은 정도를 찾을 때까지 반복해야만 하는 것이다. 대패 본체도 목재의 경우 사포에 대고 문질러 갈 수 있다.

분명 배웠는데 잘 까먹는 것들이 있다. 아니면 선생님이 하면 기억나는데 내가 하면 기억이 안 나는 그런 것들 말이다. 조립할 때 또 도미노가 헷갈렸다. 기계 자체의 거리 조절 눈금이, 각도가 90도(직각)에 가까울 때는 유효하지 않고 목재에서 1cm 뒤에 선을 그어서 맞춰야 한다. 그리고 이번에 새로 알게 된 거는 비스켓은 각도 조절이 1도 단위로는 안 되더라고. 그리고 반턱 낸 거 끼울 때 빡빡하다고 해서 모서리를 나무망치로 세게 내리치면 안 된다. 어떻게 알게 됐냐고?

부러져서 응급처치중인 목재와 집게 클램프

마감재를 다양하게 썼다. 셸락도 써 보고 바니쉬(폴리우레탄), 왁스도 써 봤다. 셸락은 락벌레 똥을 알콜에 녹인 침투 하도재인데 스폰지로 바르면 목재의 표면 구멍을 채워 줘서 흡수율을 고르게 만든다. 수용성. 필수는 아니고 투명 스테인을 바르기도 한다. 악기 등에 여러 번 발라 마감한다. 바니쉬는 전용 붓으로, 누르지 말고 힘과 붓자국과 스트로크를 최소화하여 발라야 한다. 머리카락이나 붓 등에 묻으면 플라스틱처럼 굳어서 안 떼지니까 바로바로 물로 씻어야 한다. 두께는 스스로 가라앉는다. 작업물의 위에서 아래로 바른다. 온도가 높으면 빨리 마른다. 왁스는 부직포 천 같은 걸로 슥슥 문질러 바르면 스크래치에 강해진다.

마감작업에 정답은 없고 작업자마다 다르니 상황에 따라 적절히 판단해야 합니다.

트리머 라운딩 - 거친 사포 (100) 기계샌딩 - 중간 사포 (200) 기계샌딩 - 스폰지로 셸락 얇게 도포 - 말린 후 고운사포에 작은 나무조각을 대고 손사포 - 깨끗한 천으로 먼지닦기 - 작업대 정리하고 천으로 작업대 위의 먼지도 닦기 - 바니쉬 전체적으로 바르기 - 말린 후 고운사포 (600) 손사포 - 먼지닦기 - 왁스 - 더 고운 사포 (1000) 손사포 - 2~3일 뒤에 더 고운 사포 … 바니쉬를 책상 상판에만 두껍게 또 덧바르고 말리고 (400)사포, (1000)사포, 천연왁스 바르고 계속 문질렀더니 표면이 비단결이 됐다.

자투리 목재를 써서 귀여운 짝짝이 다리를 갖게 되었다. 왼쪽이 내가, 오른쪽이 오케이가 만든 것.
멀바우, 아카시아, 라디에타 파인 목재를 사용했다.

수납장

[1]울란바토르, 인생의 오후에 눈이 내린다

…

손을 내밀어 하늘로부터 내려오는 눈송이를 받으면

세상의 한 끝이 내 손 위로 내려와

차고도 부드럽게 녹는다.

나는 손금을 따라 흐르는

한 줄기 눈물을 바라본다, 누운

물

사랑은 멀리에서 이렇게 나에게로 당도해

하염없이 흐르는 것이다, 울란바토르

인생의 오후에 눈이 내린다.

1 박정대. 『삶이라는 직업』 . 문학과 지성사, 2011.

코로나 걸려서 격리 중일 때 오케이가 보내 주었다.

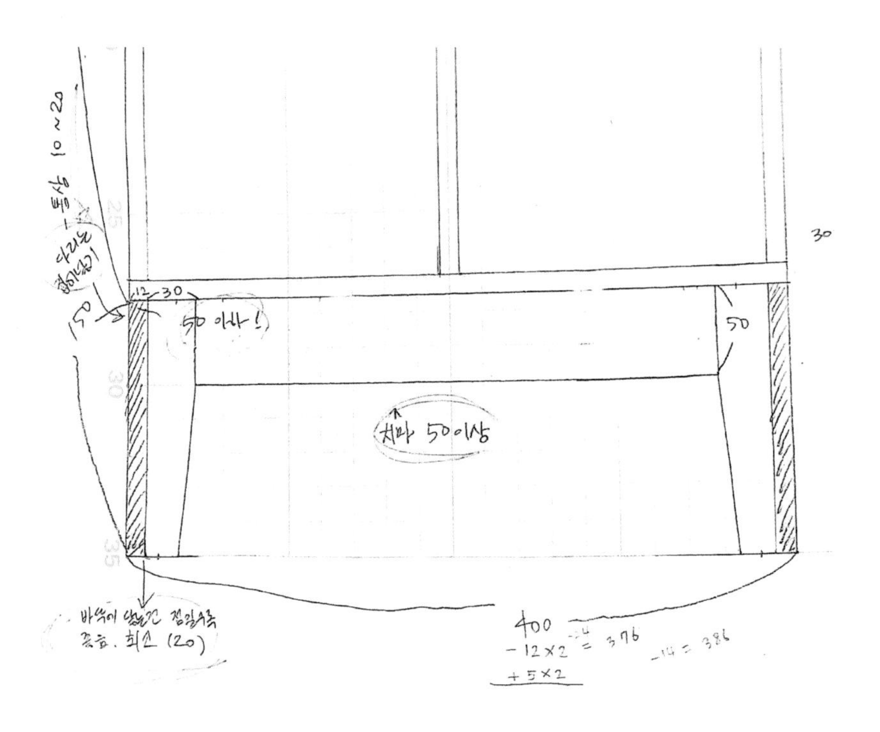

30
12
30
50 이하!
50
치마 50이상
바닥에 닿는건 적을수록 좋음. 최소 (20)
400
-12×2 = 376
+5×2
-14 = 386

<순서> ※전체적 단계 숙지, 시간분배 (타이머?)

원장 꺼내고
① 켜기

② 자르기

③ 내부 중간판 반턱
Need : 치수
주의 : 톱날두께, 좌우

④ 문짝 45°

⑤ 트리머 홈파기

(5.5) 문짝 만들기 - 비스켓

⑥ 선그리기 : 내측 판 닿는 선, 외측 나사자리

⑦ 이중드릴작업 (길내기)

⑧ 조립
- 주로 나사
- 필요시 타카 임시고정

After. 샌딩 → 경첩 (싱크경첩. 문달기) → 마감

일주일 쉬고 공방을 오랜만에 가려니까 아침에 일어나기 싫었다. 하지만 갔다. 나는 짱이라고 생각했다.

[격자와 문짝이 있는 큰 가구를 만들어 보자]

싱크 경첩은 브랜드, 국가가 달라도 규격이 모두 똑같이 정해 져 있다. 그러니까 지그도 마찬가지.

드릴프레스 쓰는 순서: 잠금 풀고 위아래 높이 조절하고 잠그고 비트를 끼우고 손으로 잠그고 도구로 잠그고 얼마나 내려가서 멈출지를 또 손잡이에 잠금을 풀고 조절하고 잠그고…

문짝 합판이 얇아서 구멍을 깊게 뚫을 수는 없었다. 그래서 싱크 경첩이 튀어나온 만큼 문짝과 본체 사이에 공간이 약간 떠 있다.

8자 철물: 철물의 두께만큼 다리를 트리머로 대강 깎아내고 몸체와 나사연결

샌딩하고 닦고 다크월넛 색 스테인 칠하고 말리고 폴리우레탄을 스펀지로 얇게 발랐다.

쌤이 이제 빨리빨리 하라고 말하기 시작했다. (정확히는 "전체적 단계를 숙지하고, 시간 분배를 잘 해야 한다" 고 말하긴 했는데, 그거나 그거나다.)

1mm 미만의 단위, 0.5mm, 0.2mm가 눈으로 측정되기 시작할 때. 공간의 진동과 소리와 박자의 변화를 감지했을 때. 성장했다고 느꼈다.

공방에서 작업하다가 수업을 마치고 나면 감각이 열려있을 때가 있다. 세포들이 하나하나 예민하게 깨어나서 온 몸으로 보고 듣고 숨쉬고 움직이는 것처럼 세상이 다르게 감각된다. 재미있다.

"어릴 때는 손에 조금만 뭐 찍히거나 조금만 피나거나 해도 "악!!" 하고 "힝!!!" 했는데, 왜, 어른들은 뭐 하다가 막 손 다치고 피나고 그래도 아무렇지 않게 털고 감각이 느껴지지 않는다는 듯이 냅두잖아. 근데 딱 어젠가 그랬어 작업하다가 여기저기 찍혔는데 집에 와서 손 씻고 손을 들여다보기 전까지는 몰랐던 거야."

유진 : "어른 됐네..."

"우엥! 우엥! 안아줘! 우엥!"

밤에 그런 통화를 하고 자고 일어났더니 다친 손이 그제야 아프기 시작했다. 자세히 보니 상처가 여러 군데 더 많았다. 일회용 밴드를 덕지덕지 붙였다.

생각해보면 이걸 만들 때쯤부터 불안을 느끼기 시작했던 것 같다. 코로나 후유증이었을까? 아니면 선생님이 농담(이었다는 건 내가 며칠 내내 심각해진 다음에야 알게 되었다)으로 던진 "공방 망했어~"에 천착해서 '내 길을 스스로 개척해 내야만 한다'는 생각에 또다시 절박하게 휩싸이는 시기를 만들어 냈기 때문일까. 3월. 감정이 롤러코스터를 탔다. 일기가 엉망진창이다.

신났다가 허무했다가 충만했다가 얼어붙었다가 짜증냈다가 웃었다가 체했다가 토했다가 힘이 다 빠졌다가 또 웃었다가 기분이 더러웠다가 무기력했다가 청소했다가 혼란스럽다가 슬펐다가 미웠다가 악몽을 연달아 꿨다.

도망쳤던 악몽 얘기를 오케이랑 하다가 "이제는 내가 다 죽일거야. 어? 도망치지도 무서워하지도 않고, 몽둥이 저거, 각재 들고 내가 다 조져 버릴 거라고!" 주먹을 꽉 쥐고 외쳤다. "나도 그 옆에서 도와줄게!" 오케이가 말했다. 든든했다. 오케이는 정말로 내 꿈에 한두번인가 나왔고, 우리는 꿈 속에서 아무것도 죽이지도 조지지도 도망치지도 않았다. 그 후로 점점 악몽을 꾸지 않게 되었다.

나는 깨어 있는 동안 불안을 생산으로 승화시키려 했다. 오케이와 몇 가지 사이드 프로젝트를 하기 시작했고 내 불안이 가끔 패닉이 되었을 때는 오케이가 곁에 단단하게 있어 주었다.

강릉에서 게르와 오케이와 셋이서 트랙 달리기를 했다. 둘은 원래 마라톤을 좋아하고 나는 단거리 달리기나 풋살을 더 선호한다. 셋 중 내가 가장 근지구력이 약하고 달리기도 오랜만이라, 두 사람이 나를 사이에 끼고 나란히 달리기로 했다. 게르가 내 폰에 가이드 어플을 깔고 힙색을 빌려 주었다. 걷다가 신호음이 들리고 천천히 달리기 시작했다. 또 신호음이 들리고 걸었다. 갑자기 트랙 가운데에서 축구공이 날아와서 나 혼자 트랙을 벗어나 충동적으로 공을 쫓아 전속력으로 달렸다. 공이 다시 경기장 안으로 들어갔고 나는 드러눕고싶어졌다. 다시 천천히 달렸다. 기분이 좋기도 했다. 별안간 짜증이 나서 빠르게 달렸다. 어느 순간 가이드 어플이 가볍게 달리라고 해도 걸었다. 게르와 오케이가 나를 가볍게 앞질러 달려 갔다. "괜찮아?" 저만치 앞에 가서 뒤로 돌아 나를 보며 뛰는 게르를 잡아서 데굴데굴 굴려버릴 심산으로 질주했다. "나를 동정하지 마라!!!" 게르가 다시 앞을 보고 "으아아아!!!" 소리지르며 달렸고 나는 따라잡지 못했다. 웃다가 완전히 지쳐서, 운전을 오케이에게 부탁하고 조수석에 널브러졌다.

"어땠어?"

"좋아. 별별 생각이 다 들었다가, 짜증 났다가, 기분 좋았다가, 근데 다 하고 나니까 다른 사람이 된 것 같아."

"제대로 했네."

땅콩이

오케이와의 가위바위보에 져서 내가 테이블을 걔가 의자를 만들게 되었다. 수업 목표는 <밴딩 가구 만들기> 였다. 뼈대를 만든 후, "오징어 합판" 이라는 이름의 휘어지는 합판으로 옆면을 붙였다. 오징어 합판을 들어서 슬라이딩 쏘 위에 얹자마자 '이름이 왜 오징어 합판인지 알겠다' 고 생각했다.

2m가 넘는 거대한 목재가 묵직하게 휘청거리며 시시각각 내 손을 빠져나가 흘러내리는 건… 내 안의 공격성을 발견하게 했다. (테이블과 의자의 이름이 ㅇㅂ이 될 뻔 했다. ㅇㅂㅇㅂ거리며 여타 가구와 마찬가지로 지지고 볶고 애증과 유대를 쌓으며 만들었다.) 퍼티를 바르고 사포질을 한 후에 선생님이 단 네 개의 페인트 통을 꺼냈다.

"선생님! 색 섞어 써도 돼요? 세발요!"
"안돼요."
"한 겹 칠하고 두번째 겹을 다른 색으로 칠하는 건요?"
"왜요?"
"회화적이잖아요!"
"이 세상 어디에도 아무도 그렇게 하는 사람 없어요."
"어 그럼 우리가 최초로…"
"그러지 마세요…"

네. 가구 제작은 보수적인 분야라고 합니다. 저항의 정신이 담겼다. 정신만...

[밴딩가구 만들기] 0322

오징어합판 (=요꼬합판)

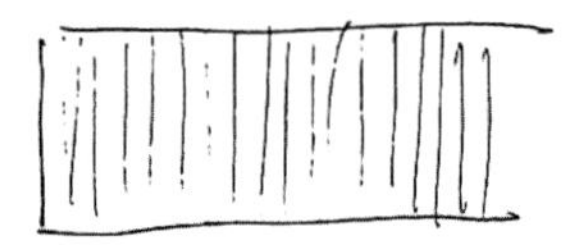

≠ 보통합판

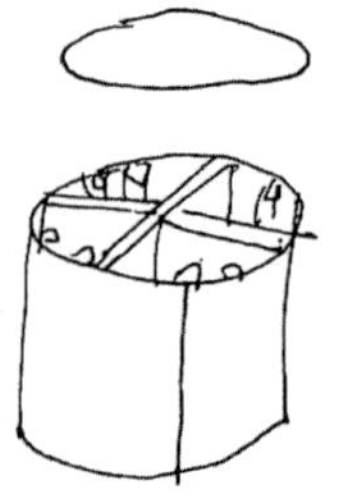

① 판과 다루끼 커팅
ㄴ두겹 (앉을 수 있으려면)

② 원판 : 트리머 + 지그

③ 타카조립

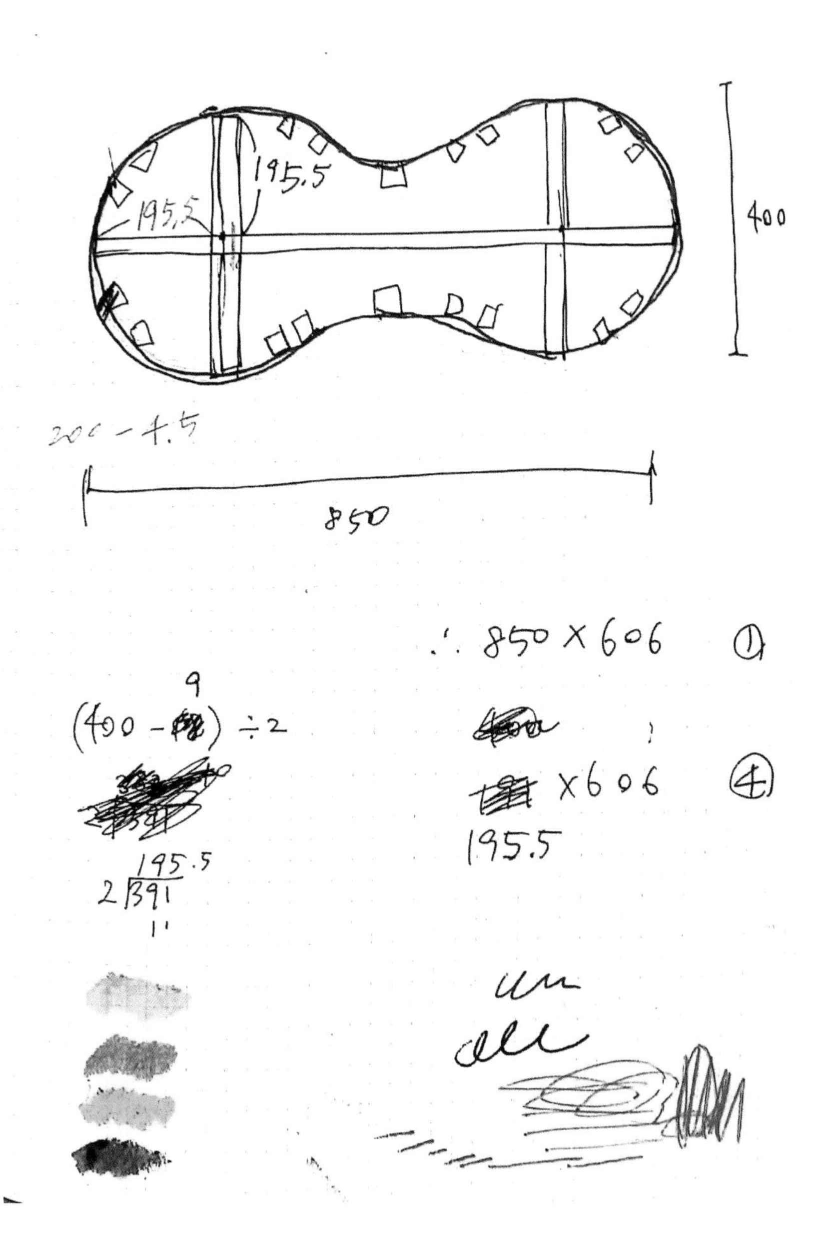

195.5
195.5
400
200 − 4.5
850
∴ 850 X 606
①
(400 − 9) ÷ 2
X 6 0 6
④
195.5
195.5
2|391

순서

1. 오징어합판, 합판, 각재 커팅
(오징어합판은 좀 더 길게 자르고, 앉을 수 있으려면 두 겹을 자른다. 다루끼는 한 원 안에 최소 8개, 원이 클수록 많아져야 한다.)
2. 위아래 판 커팅
(18T 합판을 썼다. 트리머 + 지그, 직쏘로 따낸다.)
3. 타카 조립
4. 통상의 작업 마감 기준 : 퍼티+사포, 페인트, 코팅

합판을 찌그러트려 잡고 대강 재서 그거보다 작게 치수를 정해서 그리기! 상하판, 뼈대를 만들고 나서 합판을 감고, 테두리는 길면 더 자르면 됨.

순서대로 조립조립 (본드 + 타카). 네 기둥을 세워서 뚜껑을 덮어 조립 해 놓고 그 다음에 가운데에 판때기를 끼워 넣고 그리고 각재를 마저 집어넣는다.

오징어합판은 길이에 오차가 생길 걸 예상은 했지만 높이 계산도 실수했고 그래서 정말 누덕누덕누덕누덕 기워야 했다.

타카 삐져나온 거 쳐서 집어넣고 - 나무 튀어나온 부분 대패로 정리하고 - 사포질 했는지 안했는지 기억이 안나네... - 퍼티 바르고 말리고 - 손사포 80 - 120 - 220 - 집진기로 먼지 빨아들이고 - 젯소 바르고 - 페인트칠 두껍게

칠하다가 내 작업복 바지 엉덩이에 핑크색 페인트 묻었다.

오케이: "아-주 귀여워. 마음에 들어."

나: "뭐가 귀여워, 원숭이같잖아!"

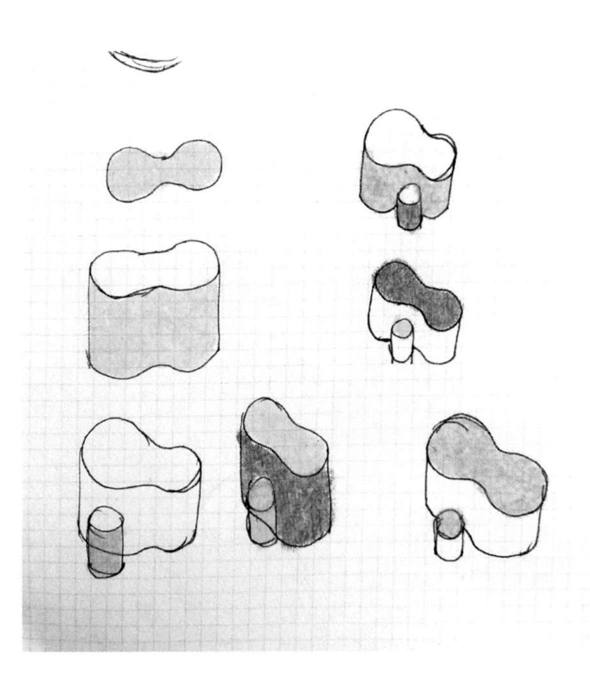

scm minimax s45n
sc1genius

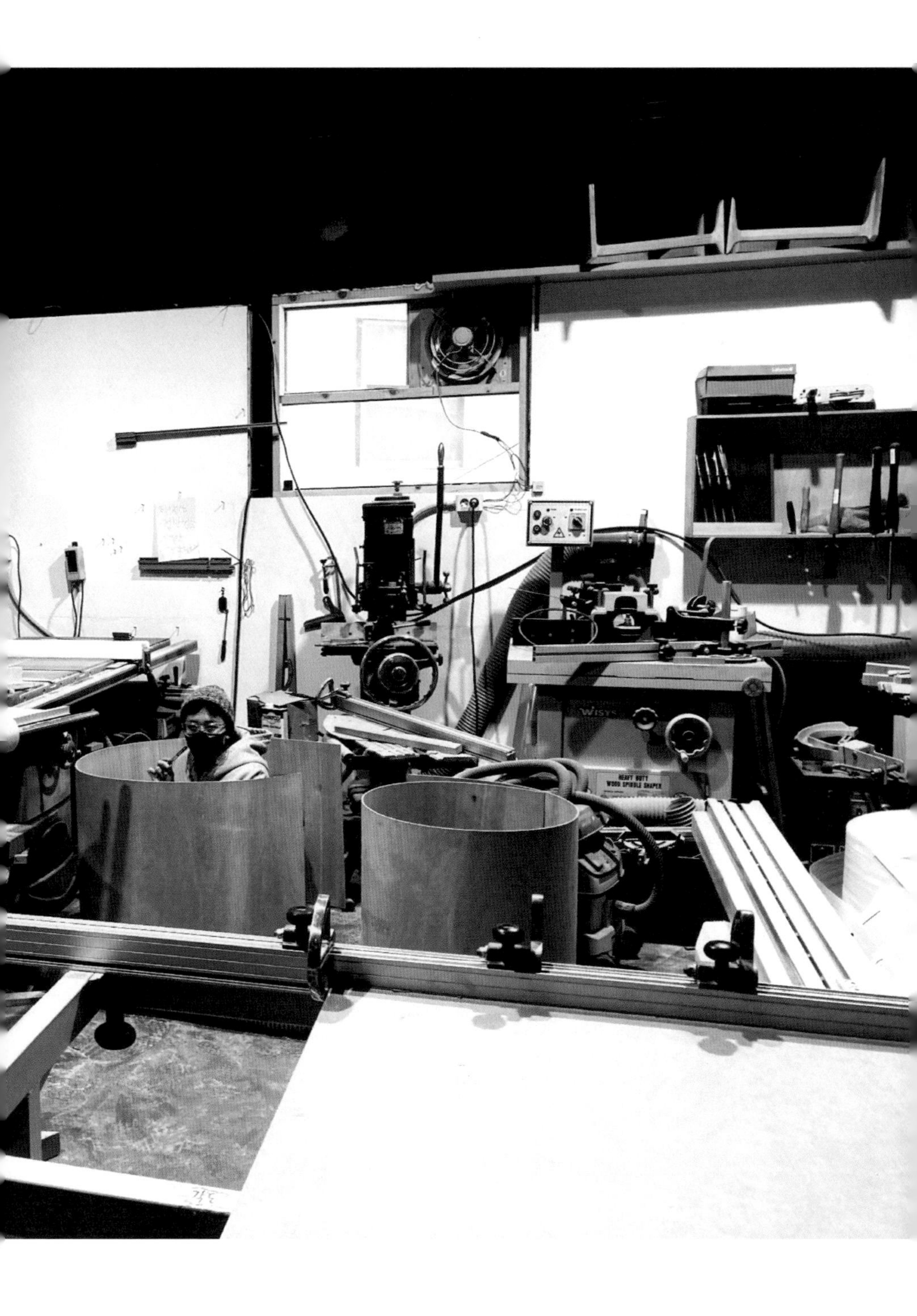
HEAVY DUTY
WOOD SPINDLE SHAPER

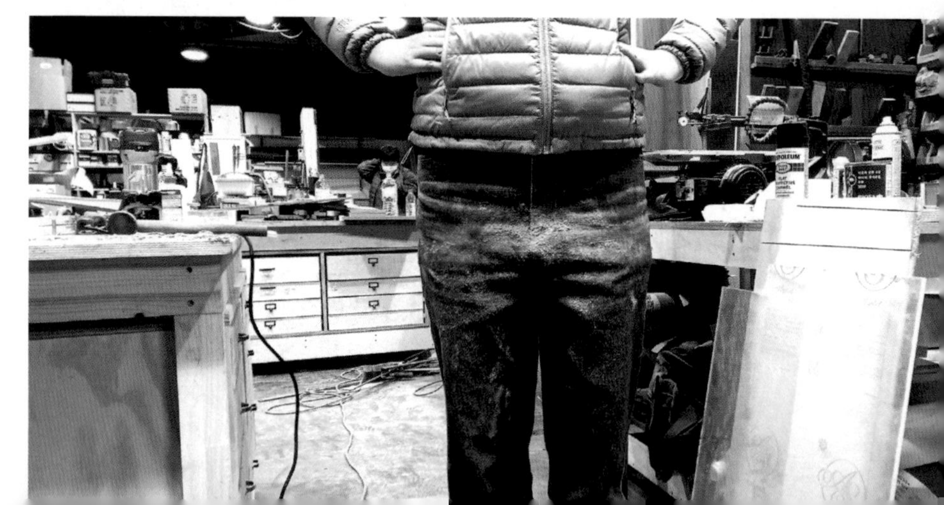

WATCO
DANISH OI

그리고 완성 후 딱 한 달 뒤, 우리는 책상 위에서 오징어 합판 두께로 휘어지는 줄자를 발견하게 된다.

오케이: "어? 아~ 이건가부다. 우리 저번에 오징어합판 이걸로 쟀으면 됐었네."

돌파

The seventh (A hetedik)

If you set out in this world,
better be born seven times.
Once, in a house on fire,
once, in a freezing flood,
once, in a wild madhouse,
once, in a field of ripe wheat,
once, in an empty cloister,
and once among pigs in sty.
Six babes crying, not enough:
you yourself must be the seventh.

When you must fight to survive,
let your enemy see seven.
One, away from work on Sunday,
one, starting his work on Monday,
one, who teaches without payment,
one, who learned to swim by drowning,
one, who is the seed of a forest,
and one, whom wild forefathers protect,
but all their tricks are not enough:
you yourself must be the seventh.
...

- Attila József

순서

0. 도면 그리기; 디자인적으로 비례가 아주 중요!

1. 제재목에 연필로 재단도면 대강 표시해놓기, 넉넉하게! 한 번 켜기

2. 켠 면을 수압대패로 평평하게 만들기

3. 조각 조각 넉넉하게! 켜기

4. 조각 조각 넉넉하게! 자르기 (500보다 짧으면 자동대패 안에서 돌아가니까 작은 조각들은 합쳐서)

5. 수압대패로 두 면을 평평하게, 직각으로 만들기 (눈으로 보고 어디가 떠 있는지 까딱거리는지 확인하기) (*수압대패 날 근처에 절대 손 가져가지 말기 위험! 손가락 날아간다! 절대 밀대로 하기) (하고 나서 두 면 안 잃어버리게 분필로 체크)

6. 자동대패로 (최대 2mm씩 내려가기) 깎아서 정각재 만들기

7. 정치수로 길이 자르기

8. 연필로 표시해놓기

Tip. 제재목은 자르고 그냥 냅두면 잘 뒤틀린대요. 바로 조립할 게 아니라면 랩핑 꼼꼼히 해놓고 집가기

테이블쏘와 장부지그

장부맞춤

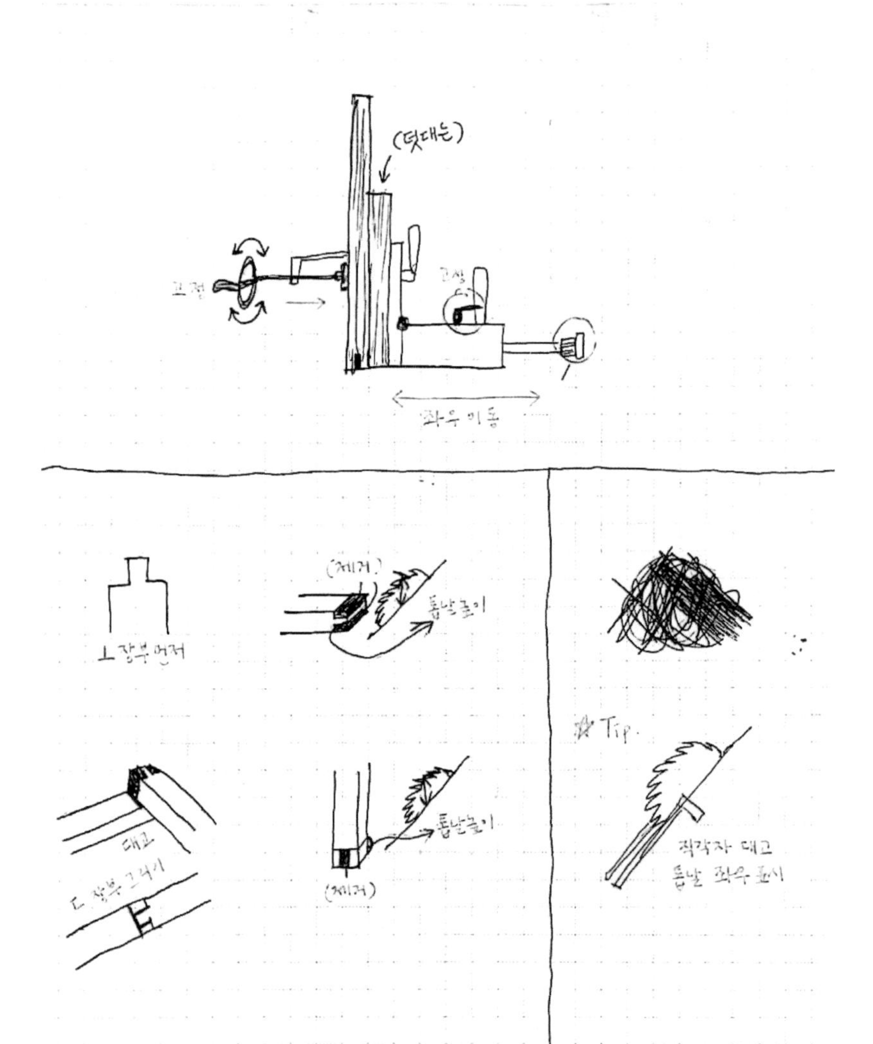
(덧대는)
고정
좌우 이동
ㅗ 장부 먼저
(제거)
대고
ㄷ 장부 그리기
(제거)
Tip.
직각자 대고
톱날 좌우 표시

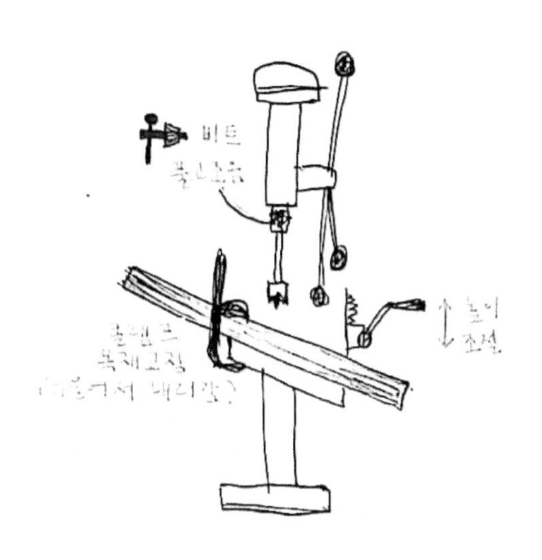
비트
클램프
목재고정
높이
조절

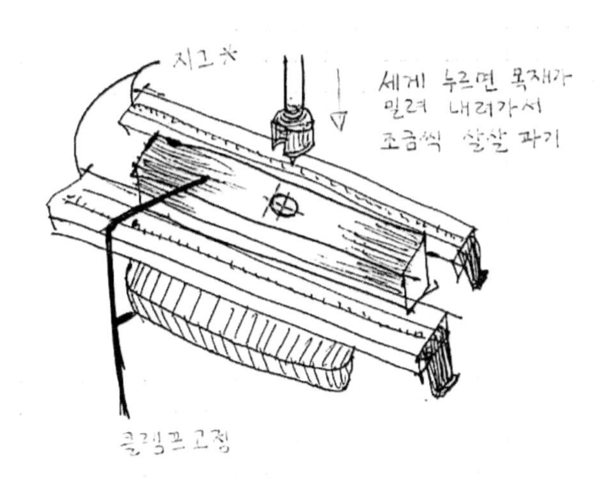
지그*
세게 누르면 목재가
밀려 내려가서
조금씩 살살 파기
클램프고정

드릴 프레스를 지그 없이 사선으로 뚫다가 영원히 돌파구를 찾을 수 없는 늪의 굴레에 빠졌다. 선생님이 지그를 찾아 줘서 어찌저찌 빠져 나왔지만 그 다음엔 도미노를 일곱 번 연속으로 잘못 뚫고 춘천으로 혼자 첫 차박을 떠났다.

차 안에서 목이 쉴 때까지 노래를 불렀고 운전하다가 찰옥수수가 보이면 꼭 갓길에 멈춰서 사 먹었다. 낯선 강물과 식물들 사이에 나를 한참 혼자 두었고 계획도 연습도 없이 의자를 접고 트렁크에 카라비너를 걸었다. '안 되면 다시 운전해서 집에 오면 되지 뭐,' 하는 마음으로 산을 올랐고 집에서 가져온 매트와 이불을 펴고 누웠다. 성공이었다.

'하니까 되네.'

'…그것도 그렇겠구나.'

다음날 점심을 먹으러 들어간 밥집에서 "2인 이상만 식사할 수 있다"는 말을 듣고 나니, 혼자 있기는 이제 충분하다고 느껴졌다. 조재님이 일하는 카페에 찾아갔더니 조재님이 "차박이면 밥은 먹고 다녔냐" 며 퇴근하고 저녁밥을 사 줬다.

공방에 제주도 놀러 갔다 온 오케이가 돌아 와 있었다. 오케이가 과자도 주고 내 파티션도 도와 주었다. 그 때 아직 정신없어서 고맙다는 말을 제대로 못 했던 것 같은데, 조립할 때 네가 잡아줘서 그날 완성할 수 있었다.

돌파는 꼭 동료와 함께 일어난다.

파디션은 선만으로 이루어진 가구이다. 도면에서 포인트로 집은 색 월넛을 어디에 넣을지와 두 덩어리를 어떻게 연결시킬지 고민하고 있을 때, 오케이가 제시한 천재적인 의견을 그대로 반영했다. 내가 오케이의 번쩍이는 아이디어에 "천재다 천재!" 하고 진심으로 감탄하며 기립박수를 보내면 서옥영은 쑥스럽게 웃으며 "이 아첨꾼!" 한다. (우리는 아첨꾼을 애칭으로 사용하곤 한다)

네가 아니었으면 이렇게 못 했을거야.

나의 사랑이나 아첨이 너에게 부정적 영향을 주지 않기를.

주황버섯

'밀린 게 뒤에도 앞에도 산더미인데, 이미 한 번 만들어 본 좌탁은 (아니다 그것과 전혀 달랐다!) 왜 또 만드는 거지?'

좌탁 도면을 그리라는 선생님의 말을 더럽게 안 듣고 나는 작고 긴 테이블을 만들겠다며 고집을 부렸다. 선생님이 보여 준 8각기둥은 3각으로 줄이고 나름대로 비례를 가늠해서 상판 크기를 결정하고 "좌탁 그리라고 했잖아요." 하는 말에는 "싫어요! 싫은데요! 길게 만들 거예요 소파나 침대 옆에 두는 테이블 같은 거!" 했다. 그리고 바로 공책을 가위로 잘라 접고 옆에 있던 마스킹 테이프를 집어 덕지덕지 붙여서 미니 모형까지 만들어 작업대 위에 턱, 세웠다. "이렇게요!"

잠실타워에 비행접시를 수평으로 내리꽂은 모양이다.

집착과 고집은 결국 각이 더 많아야 더 안정적이었을 기둥의 모서리가 조금씩 모두 어긋나고 타워와 접시가 만나는 면적이 너무 작아서 테이블 가장자리에 손가락만 올려도 상이 뒤엎어지는 걸 확인하고 나서야 "쌤… 지금이라도 다리 반 잘라 버리고 좌탁 만들까요?" "아니요. 처음에 만들려고 했던 대로 끝까지 해요."

생각해보니까 도면도 실제 사이즈로 그리라고 했었는데 그 때 너무나 도면 종이를 반 접어서 1/2 축적으로 그리고 싶어서 또 이상하게 집착하며 기하학과 비례식을 썼다. 반 접은 종이를 펼치고 세로로 돌리기가 싫어서 말이다. 접힌 자국을 펴는 게 싫었던 것 같기도 하고 반대쪽에 뭔가를 이미 그려 놔서 새 페이지에 그리고 싶었던 것 같기도 하다. 도면을 실제 사이즈로 그렸더라면 각도의 계산이나 구조적 안정성이 지금보다 더 나았을까? 모르겠다.

샌딩 하니까 그나마 봐줄 만 했다. 선생님이 색이 있는 스테인을 바르는 게 좋겠다며 구석에서 캔을 꺼내 왔다. "쌤 근데… 지금 이거 톡 치면 넘어가는데… 칠하는 게 그거 안료 낭비 아닐까요?" "그래도 칠 해 봐요." 칠 하는 연습 한다고 생각하고 발랐다.

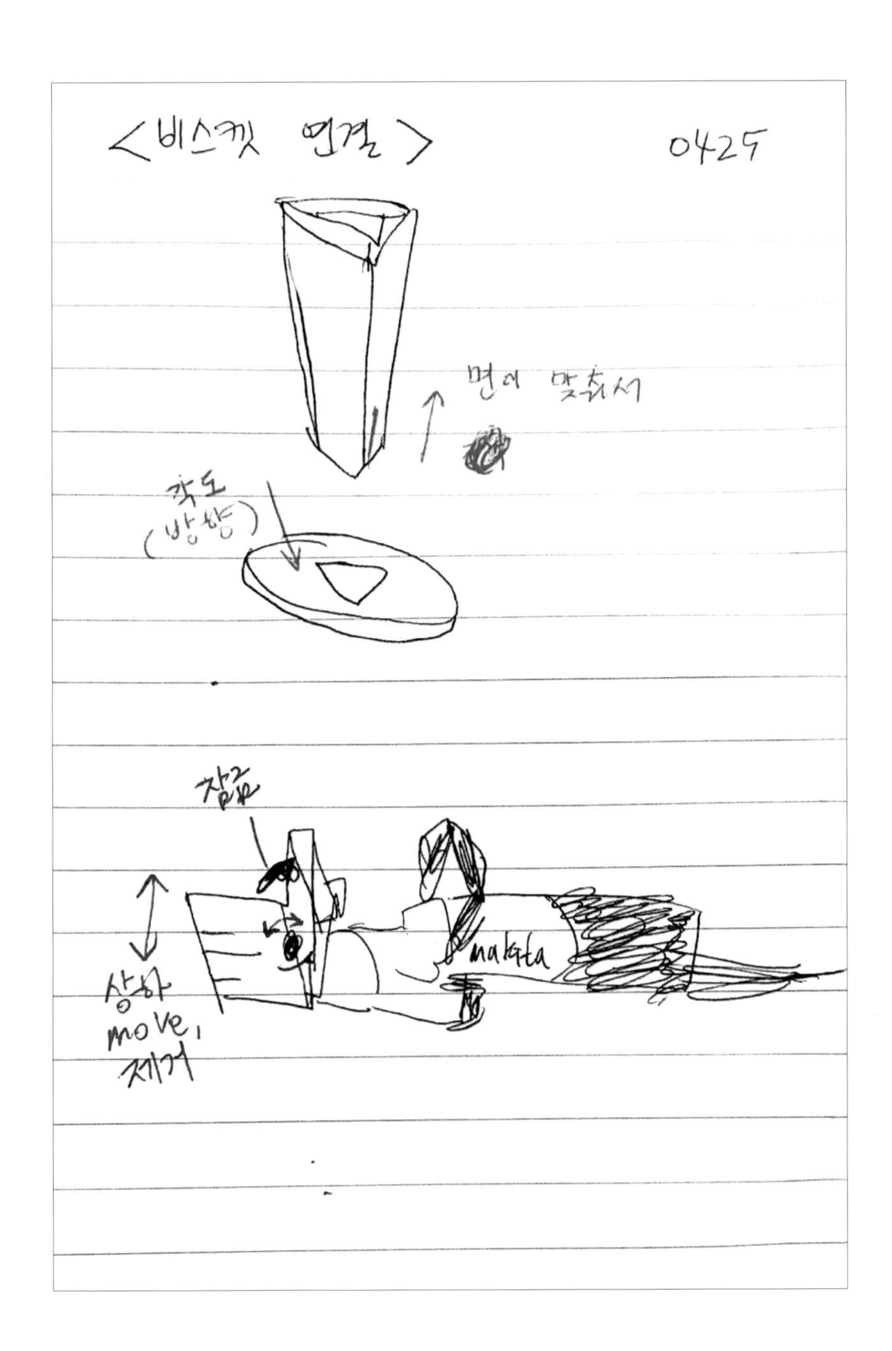
<비스킷 연결>
0425
면에 맞춰서
각도
(방향)
잡고
상하
move,
제거
makita

불안과 강박이 자랐다. 생각이 많아진다.

4개월 간의 가구 제작 수업이 끝나기까지 2주 남았다. 일주일에 3일 수업하니까 약 6일 남은 거다. 머리는 까먹었지만 몸이 기억하는 것들과, 머리는 기억하지만 몸이 까먹은 것들과, 몸과 머리 둘 다 기억나는 것들 조금이 남았다.

기억에 대한 강박과 망각에 대한 공포가 있다. (그것이 언제나 더 나은 결과로 이어지지는 않지만)

그리고 몇 주 째 복습을 안 하고 있다.
나는 끝내기를 잘 못 한다.
수업이 끝나가고 있다.
수업을 같이 듣던 오케이는 다음달에 고향으로 돌아간다.

낮에는 수업을 일찍 끝내고 (말하자면 조퇴나 자체휴강 비슷한 걸 하고) 도면들을 모두 꺼내 가방에 넣었고, 가구들을 몇 개 꺼내 오후 5시의 햇빛 아래 오케이와 함께 촬영했다.
사실은 밑바닥에는, 망각에 대해, 잊음과 잊혀짐에 대해 나를 미치게 만드는 공포.

수업을 일찍 끝내거나 하는 것에 대해 고민이 없지 않았다. 작업은 늘 밀려 있고 저번의 것도 저저번의 것도 이번주에 시작한 것도 아직 다 끝내지 못했기 때문이다. 시간도 기회도 무한하지 않다.

'증명해.'

이성이 마비되었다.

스캔을 하러 갔는데, 퇴근 시간의 서울을 운전하고 낯선 곳에서 형편없는 저녁을 급하게 먹고 스캔집에 들어가 자료들을 꺼내고 나서야, 도면은 너무 커서 스캔이 불가능하고 공책은 다 뜯거나 잘라내야 한다는 걸 알게 되었다. 미리 검색 몇 번, 전화 한 번만 해 봤더라면 그 모든 시간과 돈을 써서 이렇게 절망하지 않아도 되었던 것이다.

제대로 된 생각을 할 수가 없다. 할 일은 산더미고 나는 피로가 누적되었지만 쉴 수도 없다. 쉴 수가 없다. 쉴 수 없다.

불안과 강박이 나를 집어삼켰다.

작업자로서의 나와 기록자로서의 나와 끝남에 대한 두려움이 충돌한다.

미래는 약속하지 않고, 나도 미래와 약속하지 않는다.

수업이 끝날 때까지 도면을 넣은 가방을 매일 들고 다녔다.

해야 할 일

둥근 스툴을 완성해야 한다. 다리 길이를 맞추어 잘라야 하고 다리와 몸체의 이음새와, 다리와 바닥이 닿는 면을 손 보아야 한다.

문 달린 장의 마감을 완료해야 한다.

모든 것들이 조금씩 부족하다. 배우면 배울수록 그것이 더 많이 눈에 들어와 할 일이 점점 더 많아진다. 서랍을 포함해 모든 것들의 마감이 끝나지 않았었다.

땅콩이들의 상판을 다시 샌딩으로 평탄화하고 폴리우레탄 코팅을 다시 해야 한다.

나는 다음 달 이후로 너와 다시는 이렇게 가까워질 수 없을까 봐 두렵고 슬프다. 그렇다고 너를 내 곁에 붙잡아 둘 능력도 뭣도 없다.

이번 주에 만들기 시작한 테이블을 완성해야 한다. 그건 정말로 시간이 오래 걸리는 작업이 아닌데,

할 일이 태산처럼 쌓였다. 해야 하는 일들이 정말 많다.

다 해야 한다.

내 안의 목소리가 묻는다.

"너 대학도 싫고 저번에 그것도 싫고 저저번에 그것도 싫고 저것도 싫고 그것도 싫다며. 그러면,"

'나는 증명해 내야만 해. 증명해 내야만 해. 증명해 내야만 해.'

말이 범람하고 있다.

사방탁자

또, 또 하고싶은 게 매일 바뀐다. 우선순위가 매 시간 달라지고 감정도 시시각각 변화한다. 변화 하는 것 자체는 이제 익숙한데, 이럴 때 어떻게 하면 좋은지는 여전히 모르겠다.

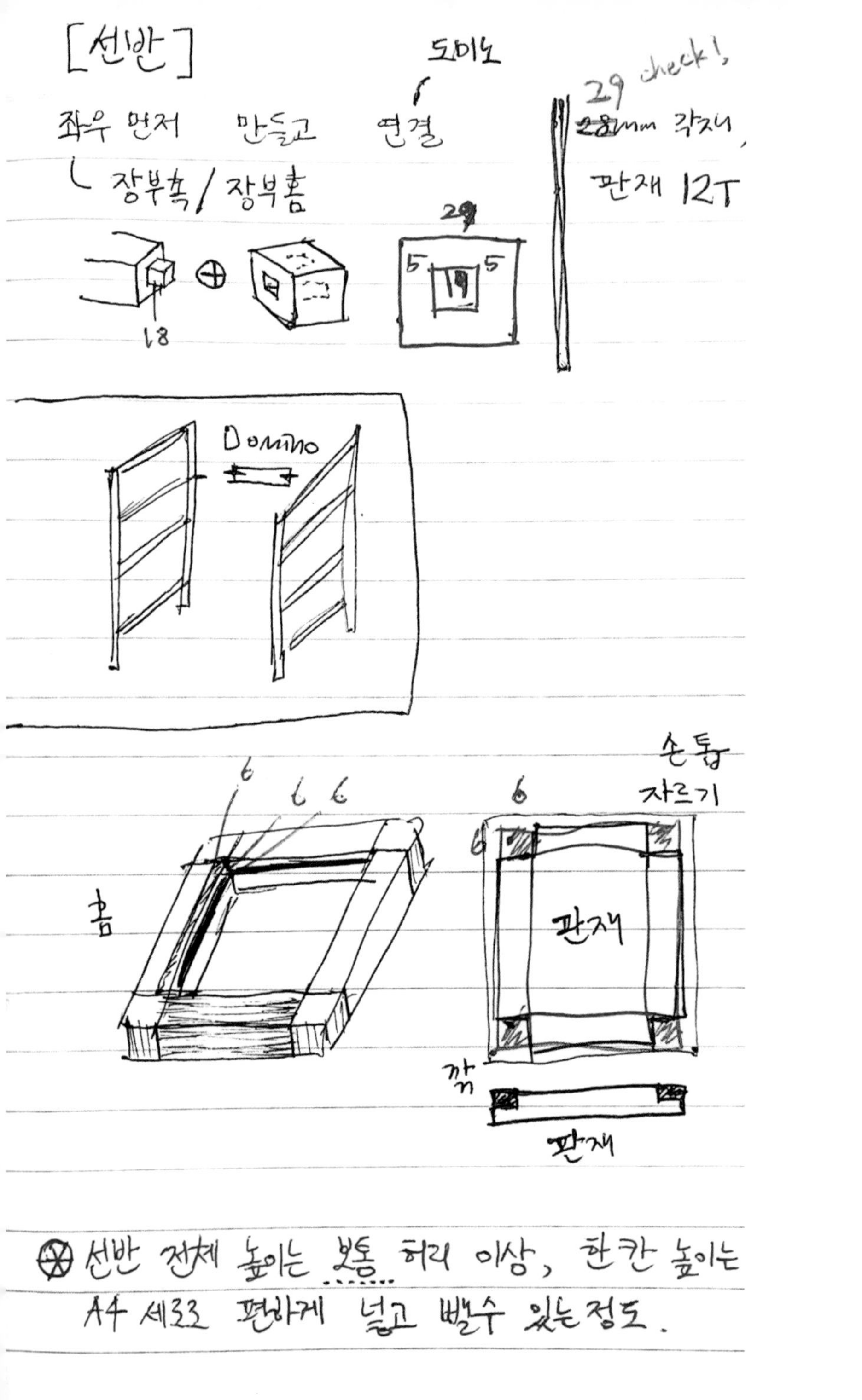
[선반]
도미노
좌우 먼저 만들고 연결
29 check!
28mm 각재,
판재 12T
장부촉 / 장부홈
29
5
19
5
18
Domino
6
6 6
손톱 자르기
6
6
홈
판재
깎
판재
선반 전체 높이는 보통 허리 이상, 한칸 높이는
A4 세로로 편하게 넣고 뺄수 있는 정도.
3600 각재 몇개? 12T 판재 면적?

[각끌기 : 초록 네모구멍기계]

1. 선을 긋고, 치수를 확인하고, 연필선을 (얼마나) 먹을지 남길지를 생각한다. (자재 조각마다 늘 직접 다시 재야 한다.)

2. 장부촉, 장부홈 각각 테이블쏘, 각끌기를 사용한다. 장부촉은 하나만 그려서 세팅, 복사한다.

3. 판재가 들어갈 홈을 트리머로 파고, 판재 모서리 깎는다.

4. 좌우 조립 (* 직각 확인)

5. 도미노 파기

6. 전체 조립 (* 직각 확인)

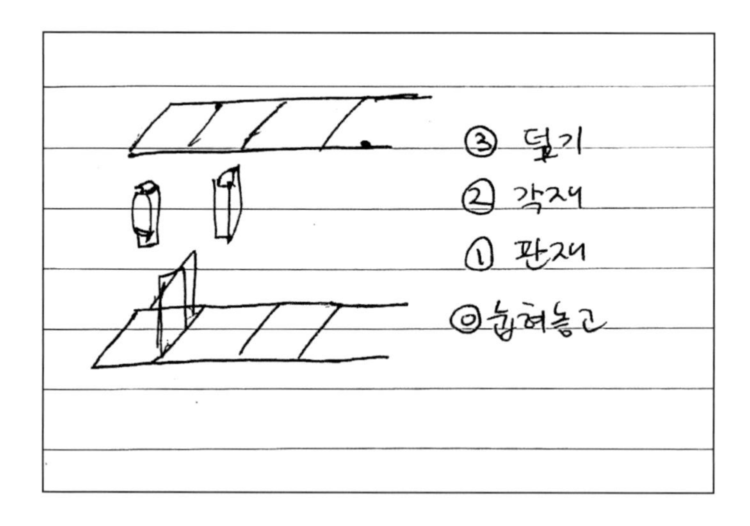

여름냄새, 비냄새, 해를 못 봤다.

사람들은 집에 특이한 가구가 아니라 평범한 가구를 더 원한다. 평범하지 않은 걸 만들고 싶은 건, 순전한 반항심인가. 사실은 평범하지 않다 생각하고 시도한들 평범의 범주 속에 있는지도 모를. 집에서는 쉬고싶기 때문인걸까.

마음에 뭐가 걸린걸까.

약 먹고 자야지. 내일은 또 작업해야지. 건강한 걸 먹어야지. 어쩌면 점심을 건강한 걸 먹어야지.

이사가고싶다. 인생을 또 싹 갈아 엎고싶다. "이사 가면서 버려지기도 하겠죠." 그 말이 걸려 있다.

앞으로도 얼마나 더 오래 집착할지 모르겠어.

버려질 것이다. 영원한 건 없으니까. 버릴 것이다. 모든 것은 언젠가 버려지고 버리고 사라지고 다른 모든 것들도 다 그렇듯이.

"나를 나보다 더 사랑할 사람은 없다" 는 말.

집. 집에 대한 생각. 공간.

집

짐

집

짐

새끼 강아지를 입양하고 사랑에 빠지고 잠시 키우다 생명이 점점 작아지다가 죽고 나는 절망하고 펑펑 우는 꿈. (생명의 종만 바뀌는 채 나는 이런 비슷한 꿈을 종종 꾼다)

꿈을 자주 꾼다. 꿈은 얕은 잠에서 발생하고 내가 깊게 못 자는 이유는 보통 스트레스다. 기억에 남은 꿈은 좋은 꿈보다 악몽이거나 너무 뻔하게 현재의 현실을 복사할 때가 있다.

그런 꿈에서 깨고 나면 꼭 적어 두거나 해몽을 찾아 본다. 지난번에 새끼손가락이 잘리는 낮꿈을 꿨을 때는 며칠동안 주위 사람들과의 신뢰와 관계를 점검했다.

입양은 좋은 꿈, 키우는 것은 현실의 욕망, 죽는 것은 이별하게 되거나 잃게 되거나. 이별이 죽음이 아무렇지 않지가 않아졌다. 제거, 차단, 두려움, 영원, 염원. 네가 사라지면 나는 새벽에 무엇을 끌어안고 울어야 하나.

집착해서 좋아질 게 아무것도 없는데. 부담과 불편함을 만들어 낼

뿐일텐데. 그래서 결국 멀어짐과 파괴를 이별을 앞당길 뿐일 텐데. 집착은 그 어떤 것도 내가 원하는 걸 가져다주지 못 해. 그건 놓아야 할 것일 뿐이다. 그것은 온 몸이 묶여서, "놓아라"는 말 밖에는 하지 못 한다.

두려움. 방법찾기. 질문하기. 상실감. 왜? 가진 적 없잖아. 가질 능력도 없잖아.

난 네가 나랑 있을 때도 혼자 있을 때처럼 편안할 수 있으면 좋겠어.

어떻게 하면 네가 될 수 있을까, 어떻게 하면 네가 없을 때도 함께인 것처럼 느낄 수 있을까. 어떻게 하면 나도 너처럼 강하고 빛나고 지혜로운 사람이 될 수 있을까.

내가 원하는 건 뭐지. 깊은 유대감과 따뜻한 사랑, 밀접한 관계를 원해. 안전함. 안정감. (정말?)

불안. 다른 작업에 대한 강박,

난 뭐가 하고싶은걸까… 쉬고싶다. 좀 확실하게 쉬고싶다. 이것들을 끝내고 말이야. 이야기를 끝마치고싶어. (그러려면 수업이 끝나야 할까?)

어떻게 이어갈 수 있을까. 잊고싶지 않은 강박과, 이해받고싶은 절박함, 사랑을 나누고싶은 연결에 대한 욕구, 과거의 이야기를 써냄으로써 말하기를 그만하고싶은 죽임과 애도의 의식. 그 다음으로 나아가고싶은, 새로운 삶을 살고싶은.

지난 사개월

수업이 끝났다. 어제오늘은 약을 먹어도 밤에 잠이 안 와서 늦잠자고 지각했다. 사방탁자를 샌딩하고 먼지닦고 오일 칠했다. 이제 동그란 샌딩기를 써도 안 파먹는다. 100번과 400번 사포를 썼다. 부드러워진 면을 확인하면 기분이 좋다. 트리머로 모서리 둥글리는 것도 조금은 알 것 같다. 실수를 안 하진 않았지만 그 실수를 왜 하는지 알게 되었다.

2주쯤 전부터는 주짓수를 배우기 시작했다. 오늘 저녁에도 다녀왔는데, 정말 뭐가 뭔지 하나도 모르겠고 그냥 따라 한다. 내가 몇 번쯤 좌절하면 관장님이 "잘 따라 하고 있어!" 응원 해 준다. "원래 처음에는 뭐가 뭔지 모르는 채 따라 하다가 한 3개월 쯤 되면 조금 알 것 같게 될 거야." 그러고 보니 목공을 배운지 4개월이 막 지났다.

오케이가 점심을 도시락 싸 와서 오랜만에 샌드위치랑 아이스라떼, 과자 사들고 천변으로 갔다. 옥영이 "시간 사치를 부리자" 고 말했고 그 말이 좋아서 내가 웃었다. 산책길 양 옆으로 벚나무에 초록잎이 활짝 폈고 사이사이로 햇빛 그림자가 생겼다. 멀리 등나무가 흐르고 물길이 바람에 흔들린다. 벤치 앞으로 산책하는 강아지와 사람들이 지나갔다.

"CHEERS! 수업이 끝난 걸 축하하고, 수고했고, 우린 짱이다!"

이따 가서 마저 작업 해야 하지만 마칠 때 되면 늘 정신 없으니까. 우리는 지난 사개월이 어땠는지와 앞으로에 대한 이야기를 흘려 보냈다. 옥영이 빌려갔던 [제 7의 인간]을 돌려받았고 나는 2주쯤 전에 써 둔 손편지를 줬다. "힉! 난 편지 안 썼는데!" "안 써도 돼~" 이따 여수 가면서 버스에서 읽어야겠다. 너는 신기하게 차에서 멀미를 안 하더라.

어제 점심에 네가 지나가며 던진 말이 내 머릿속에 파장을 일으켰잖아.

오케이는 오늘 일찍 끝내고 고향으로 돌아갔다. 나는 남아서 밀렸던 작업을 꺼내 조금 하다가 저녁 늦게 온 선생님의 마지막 이론 설명을 들었다. 지금까지 배운 걸 전부 활용해서 큰 책상을 만들어 보는 거다. "어려운 작업. 큰 작업을 해 보는 것도 중요해요. 일요일에 와서 작업해도 되고 월요일에 해도 되고, 편할 때 언제 올래요?" "쌤 잠깐만 저... 하루만 자고 결정할게요." "잠을 안 잤어?"

낮에 먹은 츄러스 과자 맛이 하루종일 입 안을 돌아다녔다. "놀이동산 냄새!" 웬만한 단 거는 한 번 먹기 시작하면 순식간에 다 먹어치우는데, 오늘은 작은 봉지도 반쯤 남긴 채 접어서 가방에 넣었다. "왠일로 남겼네?" "물론 영원히 먹을 수 있지만, 지금은 더 먹으면 좀 폭발할 것 같아." 달고 찌릿하게 부서지는 혀와 코 끝의 시나몬 향. 커피를 다 먹고 입에 집어넣은 작고 둥글어진 얼음 조각. "공방에 언제 갈래?" "두 시 전에는 갈까?" 같이 영상을 만지며 깔깔거렸다.

오늘은 공방에 사람이 많았다. 오고 가는 사람들도 많았고 뭔가를 찾는 사람들도 많았고 뭔가를 쏟은 사람들도 있었다. 그 중 한 분이 우리가 만들고 있는 사방탁자가 너무 예쁘다며, 젊을 때 이런 기술 배우니 부럽고 좋다며, 활용하기도 좋겠다며 칭찬을 해 주셨다. 기분이 좋았다! 선생님은 절대로 칭찬 안 한다. 선생님이 원래 그런 사람인 건 알고있고 나도 칭찬이 필요한 사람은 아니지만 그래도 오랜만에 들으니 좋더라고.

"주짓수에선 진다는 말이 없어요. 이기거나 배우거나." 주짓수 관장님이 했던 말이다. 반대로 그러면 이기기만 하면 배우지 못하는 건가? 생각하게 되었다. 어릴때, 칭찬을 들으면 가끔 나는 얼어붙었다.

"주짓수 3개월 다니면, 너 스스로 도복을 하나 사 보는 선물을 해줘." "도복이 뭐 특별한 게 있어?" "색깔별로 디자인별로 다양하지! 압구정에 주짓수 도복 엄청 많이 파는 데 있어. 난 3개월 하고 거기서 보라색 도복 샀잖아." "우와!"

네 시쯤 가는 너를 지하철 역까지 배웅하고 몇 주 동안이나 싱숭생숭하던 마음을 가늠 해보고 내가 좋아하는 너의 포옹으로 인사했다. 무게감과 힘이 느껴지는, 직선적인 면이 있는, 따뜻하고 단단하고, 절도있고 또 장난스러운 그런 포옹. 너는 키가 커서 내가 너의 포옹을 따라 하려면 발 끝으로 서야 한다. (혹은 각자의 포옹으로 내 목이 꺾이거나 멀리서부터 달려가 도움닫기 하거나)

아침에도 저녁에도 지하철이 타기 싫어서 버스를 타고 빙 돌았다.

폰을 보다가 금방 멀미가 나서 창문에 머리를 박았다. 하차 알람을 켜고 멍을 때리다 잠깐 졸았다. 창 밖에 체육복 위에 교복 입은 사람이 걸어갔다. 충동적으로 노트 꺼내서 스케치했다. 금방 또 멀미가 나서 이번엔 의자 등받이에 목을 꺾어 기댔다. 집에 와서 허겁지겁 도복 갈아입고 운동 다녀오면 10시다. 씻고 간단히 먹거나 연락 하다보면 11시.

졸린데 책도 읽고싶고 영상도 보고싶다는 유진에게 "난 오늘도 3시 넘어 잘 거 알아서, 느긋함. 하고싶은 거 다 할거임." 이라고 말했다. 내일 일은 내일 일어나서 몸 가는대로 마음 가는대로 하게 둘 것이다. 4개월 수업 마친 나에게 주는 선물이다.

당분간 즉흥적으로 살 듯하다.

당부드립니다
청소
·작업주변 청소기로
·바닥은 걸레로
·비품은 제자리에
꼭! 꼭! 부탁드려요